A.Ş.K.
Neyin Kısaltması?

A.Ş.K.
NEYİN KISALTMASI?

Yazan: Tuna Kiremitçi

Yayın hakları: © Doğan Kitapçılık AŞ
1. baskı / kasım 2005 / ISBN 975-293-401-3
Bu kitabın 1.-25. baskısı 50 000 adet yapılmıştır.

Kapak ve kitap tasarımı: DPN Design
Baskı: Şefik Matbaası / Marmara Sanayi Sitesi
M Blok No: 291 İkitelli - İSTANBUL

Doğan Kitapçılık AŞ Hürriyet Medya Towers, 34212 Güneşli - İSTANBUL
Tel. (212) 449 60 06 - 677 07 39 Faks (212) 677 07 49
www.dogankitap.com.tr

A.Ş.K.
Neyin Kısaltması?

Tuna Kiremitçi

DOĞAN
KİTAP

Güzel oğlum Can için...

Dualar Kalıcıdır

İnancımız olsa da olmasa da, yerini başka sözle dolduramadığımız bazı kalıplar vardır.

Mesela, tuhaf bir rüyadan uyandığımızda "Hayırdır inşallah" deriz. Bunu söylerken ifade etmek istediğimiz şeyin "dünyevî" bir karşılığı tam olarak yoktur çünkü.

"İnşallah" yerine "umarım" dediğimiz zaman ilk sözcüğün içerdiği anlama az biraz yaklaşsak da arada hep bir boşluk kalır. Laikizdir laik olmasına; ama ilk sözcük bir şömine sıcaklığını çağrıştırır nedense, ikincisi floresan mavisi yayar.

Geleneklere bağlı olmasak bile, yeni evli dostlarımızın "bir yastıkta kocamasını" ister, çocuklarından bahsettiklerinde "Allah bağışlasın" deriz. Bu kalıplar ateist olanlarımızın şuuraltına bile yüzlerce yılın süzgecinden geçerek damlamıştır çünkü.

İşe başladığımız sabah önümüze sıcacık bir bardak koyan çaycı teyze "Hayırlı olsun..." der ve aklımızdaki iletişim devresi anında tamamlanır. İstediğimiz kadar öztürkçeci ya da modern olalım, bu dileklerin yerini başka şey tutmaz.

Onlar bize hangi bütünün parçası olduğumuzu hissettirir.

Marksist aydının sürgün dönüşü duyduğu ilk ezanla efkârlanıvermesinin ardında bu yatar. Biz doğmadan çok önce hücrelerimize yazılmış bilgilerdir bazen bizi duygulandıran.

Bazen de bir babaannenin sofaya serdiği seccadenin renkleri, ahşap bir evin solgun aşıboyası, cami avlusunda top oynarken imam tarafından kovalanmanın komik anısı gelir aklımıza. Dünya görüşümüz ya da entelektüel bakış açımız onları kolay kolay dışlayamaz.

Gustave Flaubert'in şöyle bir sözü vardır: "Bilginin azı insanı dinden çıkarır, çoğu ise dine geri döndürür." Hemen söyleyeyim; bu sözde "din" bir metafordur sadece. Flaubert aslında insanın yarım yamalak edindiği bilgilerden etkilenip köklerine yabancılaşmasından bahseder. Sözünü özellikle bizim gibi jet hızıyla değişen toplumlar için söylemiştir sanki.

Musevî şair Yehuda Amihay da şöyle demiştir: "Tanrılar gelip geçer, dualarsa kalıcıdır."

Dualara sığdırdığımız özlemlerimiz, bazen küçük bir dilek ya da temenniyle akar gider kuşaktan kuşağa. Loğusa yatağında ziyaret ettiğimiz arkadaşımızın koynundaki yavruya bakar ve "Allah analı babalı büyütsün" deriz.

Analı babalı büyümez ama bütün insanlar.

Hatta bazılarımızın ne anası ne de babası vardır.

Devlet onlara kucak açar ve "yetiştirme yurtları" kurar. Biz o yurtların varlığından bile habersiz yaşayıp gideriz. Sonra bir senaryo araştırması için yolumuz düşer yurda ve gördüklerimize şaşırıp kalırız.

Bahçelievler Kız Yetiştirme Yurdu'nun "müdür baba"sı İsmet Bey'in çayını içer, onunla yeşiller içindeki büyük bahçeyi adımlar, anlattıklarını dinleriz. İki kız babası, güler yüzlü, aydın bir insandır İsmet Bey. Kendi koşulunun gerçekleriyle bir düzeyde barışmış, elinden geleni yapan bir "eğitim insanı"dır. Çocuklarla bahçede voleybol oynar, onların dertlerine ortak olur.

Yıllarca "müdür baba" diye çağrılmaktan dolayı erken olgunlaşmış, yaşından büyük gösteren bir dosttur. İnsanın devlete olan saygısını artıracak türden bir devlet görevlisi. Güler yüzlü bir ciddiyet.

"Savaş Ay buraya geldiğinde gözüne tek bir olumsuzluk çarpmadı" der gülerek, "Biz de mahcup olduk tabiî, ona malzeme veremedik diye." Sonra Savaş Ay'ın köşesinde yurt hakkında yazdığı övgülerden bahseder, saklayamadığı bir gururla.

Sonra yurttaki kızlarla tanışırsınız; bu yıl liseye hazırlanan Gülsün'le arkadaşlık edersiniz mesela. Romanınızı çoktan okumuştur, size gayet aydınca sorular sorar. Hayat hakkındaki bilgisiyle şaşırtır, yaşının çok üstündeki olgunluğuyla hüzün verir. Sonra da pingpong maçına davet edip ifadenizi iki sette bir güzel alır.

Kendince inançlı bir kızdır Gülsün; aylar sonra onu arar ve hayatınızda ilk defa bir insanın Kadir Gecesi'ni içtenlikle kutlarsınız. Dualar kalıcıdır çünkü. Tanrılar gelip geçse bile...

Öte yandan, yurt Kemalettin Tuğcu'nun anlattığı yerlere hiç benzememektedir. Eksik personelle işini iyi yapmak için çırpınan kreş çalışanlarını, hemşire ablaları, kızların "anne" diye seslendiği görevlileri tanırsınız. Stand-up meraklısı bir fırlama, yaptığı taklitlerle sizi gülme krizine sokar, bir başkası tiyatro çalışmaları hakkında bilgi verir, yatakhanelerin düzeni size yatılı okuduğunuz yılları hatırlatır. Seksenli yılların Galatasaray yatakhanelerinin yanında hepsi birer temizlik abidesidir çünkü.

Orada beklediğiniz hüznü bulamazsınız. Cin gibi, kendi durumlarının bilincinde, kaderleriyle ince ince dalga geçmesini bilen çocuklar görmüşsünüzdür. Bu da sizi başka türlü bir hüznün içine atar.

Şakalar ve kahkahalarla beslenen, daha derin, daha kaliteli bir hüzündür bu.

Arada gazetecilerle beraber yurda uğrayıp ufaklıklara oyuncak dağıtan şöhretlerden bahsederler, yine aynı ironiyle. İster istemez onlardan biri olup olmadığınızı düşünürsünüz. İçinizi rahatlatmak için aklınızın bin deresinden su getirirsiniz.

Sonra Gülsün sizi kapıya kadar geçirir. Taksiye binip kendi dünyanıza dönerken içinizden bir dua okumak gelir. Aynı duayı aylar sonra, bir bayram arifesinde hatırlayacağınızı bilmeden.

O Musevî şair hâlâ fısıldamaktadır çünkü:

"Tanrılar gelip geçer, dualarsa kalıcıdır."

Oğluma Mektup

Henüz resmen tanışmadık. Dolayısıyla, huyunu suyunu pek bilemiyorum.

Şu ana kadar tipik doğmamış bebek özellikleri sergiliyorsun. Yanlış anlama, tabiî ki klasik bir bebek olmanın hiçbir sakıncası yok. Ama takdir edersin ki insan söze nasıl başlayacağını kestiremiyor.

Daha doğrusu, annenin karnına walkman kulaklığı dayayıp sana zorla piyano sonatları dinletmemiz ve senin minik tekmelerin dışındaki bu ilk iletişim çabamızın gidişatını kestirmek güç.

O zaman sözü hiç çorba etmeyeyim; varlığınla ne kadar mutlu olduğumuzu ve sana kavuşacağımız günü nasıl dört gözle beklediğimizi söyleyeyim olsun bitsin.

Senin baban bir yazar (Naci Abi'nin dergideki çizimlerine bakma, daha yakışıklıdır aslında). Bugüne kadar birkaç kitap yazdı. Sen bu satırları okuyacak yaşa gelene kadar muhtemelen birkaç kitap daha yazacak. Sen onları okur musun bilemiyorum. Daha doğrusu, her yazar kuşağının zaman zaman duyduğu, yazılı kültürün yakında sona ereceğine dair o endişe bende de var. Herhalde unutulmaktan korkuyoruz.

Aşk olsun demek geliyor içimden kendime, insan hiç unutulur mu?

Okyanus kıyısındaki küçük bir kentte politika tartışıp sonra da birlikte Dünya Kupası maçlarını izlediğimiz o Yunan genci ben unuttum mu?

Annenle ilk çıktığımız akşam gittiğimiz sinemada arkamızda oturup durmadan konuşan o teyzeleri unutabilir miyim?

Yatılı okula ilk başladığım gün sohbet ettiğim uzun yüzlü kapı görevlisi hiç çıkacak mı aklımdan?

Şu anda yüzleri aklıma gelmeyenler bile yıllar sonra anımsanmak üzere belleğimin derinliklerinde beklemiyor mu?

Unutulmamak için neden kitap yazmaya gereksinim duysun insanlar?

Dünyaya varlığımızla bir iz bırakmış olmamız bile bunun için yeterli değil mi?

Sözünü ettiklerim ilgini çok çekmiyorsa, lütfen kusura bakma. Dediğim gibi, henüz ilgi alanlarını bilmiyoruz.

Belki babanın yapamadığını yapıp iyi bir gezgin olacaksın ve gidilmemiş kentler, görülmemiş denizler seni daha çok cezbedecek. Belki yaşıtlarının çoğu gibi senin de aran bilgisayar teknolojisiyle ya da elektronikle iyi olacak. O zaman benim senden öğreneceğim şeyler belirleyecek demektir ilişkimizi. Gerçi doğduğun an yüzüne bakıp hayatın o ana dek farkına varmadığım bir boyutunu göreceğime eminim. Belki de özlemlerimiz ve umutlarımız senin varlığınla yeni bir biçim kazanacak.

Sense bütün bunlarla hiç ilgilenmeden, akciğerlerine dolan havanın şaşkınlığıyla ağlayacaksın yalnızca.

Sevgili oğlum.

Her şeye karşın güzel bir dünyaya gelmek üzere olduğunu bil.

Dışarıda seni güzel kitaplar, fıstık gibi kızlar, dokunaklı kentler ve sıradağlar bekliyor. Onlara saygıyla yaklaşırsan geçireceğin her dakikayı senin için bir şölene çevirmeye hazır olduklarından kuşku duyma. Yalnızca onları her sabah hak etmek gerekiyor. Kendimize her sabah kapıya bırakılmış gazeteye bakar gibi merakla bakmamız, keşfetmemiz, öğrenmemiz gerekiyor.

İnsanın kendi ruhunu matbaadan yeni gelmiş bir gazete gibi okuması, can sıkıntısına karşı etkili bir taktiktir, tavsiye ederim.

"Adam daha biz doğmadan nasihate başladı" demezsen, bir tavsiyem daha olacak: ağır ol. Acele etme.

Büyürken göreceksin; şu fani yaşamda karşılaşacağın her şey seni acele ettirmeye çalışacak. Kent trafiği yanından rüzgâr gibi geçecek mesela. Sonra siyasetçiler hızlı hızlı konuşacak, ukala patronlar saatlerine bakacak ve ne kadar gereksiz bir koşturmanın ortasında kalmış olduğunu anlayacaksın.

Arabayı yanlışlıkla stop ettirmiş acemi bir sürücü gibi hissedeceksin kendini. Arkanda biriken arabalardan yükselen korna uğultusu kulak zarını zorlayacak.

Bırak beklesinler. O an derin bir soluk al ve yola neden çıkmış olduğunu yeniden anımsamadan arabayı çalıştırma. İşin komiği, bu yaşına dek ehliyet almayı becerememiş bir baba söylüyor sana bunları. Yani gönül rahatlığıyla güvenebilirsin.

Aslında onun yapamamış olduklarını bir listelesek, ehliyet meselesi alt sıralarda kalır. Rock yıldızı olmayı da başaramadı örneğin. Ayrıca sosyoloji okumak, Mevlevî dergâhına yazılmak ya da dünyayı dolaşmak gibi gerçekleştirememiş olduğu birçok parlak düşüncesi var.

İyi haberse şu: yavaş yavaş bu başarısızlıklarıyla uzlaşmaya başladı galiba. Üstelik gençken yapacağına emin olduğu şeyleri yapamadan hayat ona aklından bile geçirmemiş olduğu bir armağan veriyor.

O da sen oluyorsun, hiç sağına soluna bakınma.

İçin rahat olsun: seni kendi yapamadıklarıma zorlayacak değilim. Yani eline zorla oyuncak gitar tutuşturmak ya da geceleri kulağına Che Guevara türküleri söylemek gibi niyetlerim şimdilik yok. Daha sonra da olacağını sanmam. Yani günün birinde şu dünyada yalnızca akvaryum balıklarıyla ilgilendiğini söylersen saygı duyarım.

Şunu da bil ki, dünyaya gelmen rastlantıyla olmadı.

Çok istenmiş ve beklenmiş bir çocuksun sen. Bir fasulye tanesi olarak bize göründüğünden beri nelere neden olduğunu söylesem, şimdi durup dururken duygulanırsın. Varoluşun bize hayatın acı sürprizlerine dayanma gücü, saçmalıklara gülüp geçebilme cesareti ve dupduru bir mutluluk verdi.

Ne yazdıklarımı doğru düzgün okumaktan âciz o tayfa sıkıyor artık canımı, ne de yanlış yollara girip beni delirtmeye çalışan taksi şoförleri. Dudağımda efsunlu bir tebessümle, şapşal bir sevgi kelebeği gibi dolanıyorum ortalıkta. Beni tanıyanlar halime bakıp "Hayırdır inşallah" diyor.

İlahi; senden güzel hayır mı olur?

Geçen ay Siirt'teydim. Botan Vadisi'nde durup yıldızlara İbrahim Hakkı'nın iki yüz yıl önce baktığı gibi baktım ve seni düşündüm. O yıldızların arasında senin küçük varlığına bir yer aradım. Küçücük bir yıldızın seninle doğmakta olduğunu düşünmek hoşuma gitti. Kâğıttan dağlar arasında geçmiş ömrüme sayende bir ışık düştü, umut düştü, gül düştü.

Ulan Can Kiremitçi, seni şimdiden çok sevdik.

İnşallah sen de bizi seversin.

Hazır Hissetmiyorum

Hayatta kendimi hiçbir şeye hazır hissetmedim.

İlk sevişmeye hazırlıksız yakalandım mesela. Kız beni elimden tuttu götürdü. O kadar hazırlıksız, öyle cahildim ki, yolu bulana kadar akla karayı seçtim.

Bir sahil kasabasında, yağmurlu bir ilkbahar günüydü. Denizden esen serin rüzgâr yanaklarımızı ısırmıştı gece boyunca. Galiba içimizden birinin yazlığındaydık. Saat ilerlemişti.

Herkes yatmış, ikimiz kalmıştık.

Zevk aldım mı, almadım mı, inanın hatırlamıyorum.

Yatılı okula gitmeye de hazır hissetmiyordum kendimi. Henüz ayakkabılarını bağlamayı bile beceremeyen bir çocuktum. Okulun ilk günü ön bahçede annem diz çöküp ayakkabılarımı son defa bağladığında, diğer çocuklar beni birbirlerine gösterip gülmüşlerdi.

O an anlamıştım; dünyada ayakkabısını annesine bağlatmayan çocukların da olduğunu.

İnsan kendi ayakkabısını bağlayabiliyorsa, ayakta kalması daha kolaydı. Bugün bile ayakkabılarını bağlamayı erken öğrenen çocukların hayata bir-sıfır önde başladığını düşünürüm.

Âşık olmaya da hazır hissetmiyordum kendimi, ama oldu.

Hem de en yorgun, en mecalsiz, en dağınık halimle çıktım aşkın karşısına. Ruhuma bomba atılmıştı sanki; her şey her yerdeydi. Yaralarım açıktı henüz. Sinir uçlarım biber sürülmüş gibi yanıyordu. Kendimden ve hatalarımdan hoşlanmıyordum.

Ama aşk önemsemedi bunları. Hazır hissetmeyişime hiç aldırmadı. Sadece derin gamzeleriyle gülümsedi ve giriverdi koluma.

Baba olmaya da hazırlıklı değildim. Aynaya baktığım zaman babaya benzeyen birini göremiyordum pek. Benden dayı, abi falan olurdu belki, ama baba olmak için fazla genç buluyordum kendimi.

Sonra kendi babamı ya da arkadaşlarımın babalarını düşünüyordum ve iyice moralim bozuluyordu. Onlar gibi değildim çünkü. Baba dediğin babaya benzerdi. Bense en iyi ihtimalle amcaya benziyordum.

Neyse ki Sayın Can Kiremitçi bunları dinlemedi ve geldi. Koca kafası ve altın sarısı saçlarıyla hayatımı ışığa boğdu aslan oğlum. Hazırlanmamı bekleseydi, herkes ondan mahrum kalacaktı.

Aramızda kalsın, ilk romanımı yazmaya başlamadan on dakika önce, roman yazmaya başlayacağımdan haberim yoktu. Böyle bir şeye hazır olmadığıma adım gibi emindim.

Roman yazmak benim için ancak ak saçlı adamların yapabileceği, ciddinin ciddisi bir işti. Ne zaman içimden başlamak gelse, bana parmağını sallayan yaşlı başlı bir yazar hayali çıkıyordu karşıma.

"Daha dur!" diyordu, ekşi kokulu sesiyle. "Daha hazır değilsin!"

İlk defa bir kıza çıkma teklif ettiğim zaman da şu yanıtı almıştım: "Kusura bakma, kendimi henüz biriyle çıkmaya hazır hissetmiyorum..."

İtiraf edeyim, bugüne kadar duyduğum en nazik reddetme şeklidir bu.

Hazır hissetmiyormuş.

Sanki uzaya füze gönderecek.

Alt tarafı hamburgerciye gidip el ele tutuşacağız. Duran Duran dinleyip vatkalı montlarımızı göstereceğiz. Öpüşmenin bile yüz metre uzağındayız. Nesine hazır hissedeceksin?

Hem memleket işgal altındayken Kurtuluş Savaşı'na hazır mıydı atalarımız? Hatta tam aksine yorgun, yenik ve yaralıydılar. Ama Gazi Paşa'nın arkasında çıktılar yola..

Lenin'in Sovyetler'i XX. yüzyılın kaderini değiştirmeye hazır mıydı gerçekten?

Hazır değillerdi, ama baştan yazdılar tarihi. Çünkü biliyorlardı; hazır hissetmelerine imkân yoktu.

İnsan hiçbir zaman, hiçbir şeye hazır hissedemiyor kendini.

Hele hazır olup olmadığımıza karar veren başkalarıysa, iş iyice sarpa sarıyor. Annemizin gözünde yalnız ev tutacak yaşa asla gelemiyoruz mesela. Babamız başkalarıyla tatile çıkmamızı asla hoş görmüyor. Patronumuz bir türlü terfiye layık bulmuyor bizi.

Hazırlanmak çileli iş. Başkalarının hazırlanmasını beklemekse daha da beter.

Gerçi güzel kadınların ayna karşısındaki hazırlıklarını sonsuza kadar seyredebilirim. Onların ruj sürüşleri, gözlerine kalem çekişleri, allığı ve pudrayı kullanışları şu dünyadaki en güzel görsel şölendir.

Giyinmelerini seyretmek de unutulmaz anılar kazandırır insana. Çoraplarını çekişlerini ya da kopça bağlayışlarını seyrederken ömrünüzün uzadığını hissedersiniz.

Oje süren güzel bir kadınsa, sanat yapıtıdır. Hiçbir ressam ulaşamaz o görüntünün kalitesine.

Ama bunların hepsi istisna. Normal hayatta bu işe iyi gözle bakamıyor insan. Zaten yazıyı buraya kadar nasıl getirdim, inanın bilmiyorum.

Yazmaya pek hazır hissetmiyordum çünkü kendimi.

Bayram Arifesinde Bir Keyif Sigarası

Arife günlerinin ek sefer yapan trenlerinde onları görürdünüz. Onlara "daimî yatılı" denirdi.

Daimî, yani her daim yatılı olan çocuklardı. Hafta sonlarını aileleriyle geçiren arkadaşları gibi değildiler. Diğerleri cuma günü son zil çalınca arkalarına bakmadan giderdi. Daimîlerse okulda kalırdı. Onları doldurulması imkânsız bir hafta sonu, boş koridorlar ve içinden hayatın şırıngayla çekilmiş olduğu sınıflar beklerdi.

Bu yüzden diğerlerinin aksine, hafta sonlarını sevmezdi onlar.

Daimî yatılılık, şehre ait olmamak demekti. Hafta sonunu evinde geçirebilecekleri bir akrabanın yokluğu demekti. Bir başka şehri özlemek demekti her fırsatta. Ama çocuklar zamanla o özledikleri şehre de yabancılaşır, arada kalırlardı.

Belki de bu yüzden yolculuğu severlerdi en çok.

Onları trende görürdünüz. Son temiz gömleklerini yolculuk için giymiş olurlardı. Alınlarını ay yıldızlı cama yaslayıp belirsiz bir ufka bakarlardı. Nefesleriyle buğulanan cama bir kızın adını yazar, kimse görmeden silerlerdi sonra. Rayların öbür ucunda henüz yaşlanmamış anneler ve gücü kuvveti yerinde babalar beklerdi. Eve varmadan imha edilecek, ucuzundan sigaralar olurdu mutlaka ceplerinde.

Nasıl büyüdüklerini kimsenin anlayamadığı, saçlı sakallı bebeklerdi hepsi.

Yanaklarında acemiliklerinin eseri, küçük çizikler olurdu. Birer madalya gibi taşırlardı bu çizikleri. Trende gecenin tozunu atarak ilerleyen bedenlerini lavanta kokulu çarşaflar karşılardı. Onlar yoldayken en sevdikleri yemek yapılmış olurdu mutlaka. Tren istasyonunda âdetmiş gibi mutlaka bir sis olurdu. Derken o sisi sabırsız bir babanın el sallayışı dağıtırdı.

Onları trende görürdünüz.

Bayram en çok onların bayramıydı.

Aynı tren sizi de almış, götürüyor olurdu. Belki de artık o kadar da genç değildiniz. İyi kötü yaşanmış şeyler duruyordu arkanızda. Yine de önünüzde hâlâ sayfa sayfa açılıyordu hayat. Kulağınızda hayatın hışırtısı, elinizde bir köşesi pencereye değen bir gazete. Dalgın bakışlarınız manşetleri tarıyordu. Belki karşı koltukta uyuyan bir genç kız.

Kızın ayak bileğinde bir gümüş halhal...

Gecenin sırlayıp aynaya çevirdiği camda kendinize bakmıştınız. Aklınızdan saçınızı uzatmak, sakalınızı kesmek geçmişti. Çağrışım akıntısı sizi alıp gecenin karşı kıyısına bırakıverdiydi birden. Şehrinizi düşünmüştünüz. Lokomotifin her hamlesiyle biraz daha yaklaşan o şehirde bir kadın sizsiz uyuyordu.

Kim bilir nereden dönüyordunuz.

Canınız sigara mı istiyordu ne?

Bazen bir duygu gelip sizi bulurdu. Unutmaya kıyamadığınız bir çocuk saklandığı yerden çıkar, trenin bağrına metal bir ok gibi saplandığı geceye bakarak dalar giderdi.

Belki mecburî hizmetini tamamlamış bir öğretmendiniz. Belki eski bir kaçak, belki de işi şehirleri gezmek olan bir müzisyendiniz. Belki şantiyeden dönüyordunuz karınızın koynuna, belki bayram tatilini kendisine ayırmış bir münzeviydiniz.

Karşı koltukta bir genç kız. Bileğinde o gümüş halhal...

Dünyada olup bitenler uzaklaşmış, sesleri iyice kısılmış gibiydi. İlan edilmiş tüm savaşlar arkanızdaydı artık.

Belki mütevazı ve yeşili bol bir bahçede geçecekti bayram tatili günleri. Başınıza yağacak sonbahar yapraklarının altında oturup sonsuzluğu düşünecektiniz. Rakınızı buğulayan akşam serinliğinde tatlı tatlı titreyip cevabı olmayan sorularla eğlenerek, bir yandan da masanın altındaki tekiri besleyecektiniz.

Karınıza ne kadar güzel olduğunu söyleyecektiniz sonra. İnanmamış gibi yapacaktı.

Bir daha söyleyecektiniz.

Bir terasta olacaktınız belki. Sırtınızı salonun geceye açılan kapısına dönmüş, damağınızda beyaz şarabın tadıyla şehrin ışıklarına bakacaktınız. Kapının diğer tarafından kısık bir caz duyulurken, yanınızdaki kadına sezdirmeden birkaç santim daha yaklaşıp ne kadar güzel olduğunu söyleyecektiniz ona.

Tabiî ki inanmamış gibi yapacaktı.

Geceyi silkeleyerek gidecekti tren.

Belki de üstünüze bir daimî yatılılık çökecekti. Adını bilmediğiniz istasyonlar cama yansıyan yüzünüzü sıyırıp geçerken, başka bir zamanı, başka bir yeri, bambaşka bir hayatı düşünecektiniz.

Onları trenlerde görürdünüz. Kolejlerden, devlet liselerinden, askerî okullardan gelirlerdi. Bazıları tek başlarına yolculuk eder, bazen da grup halinde olurlardı. Özlendiklerini bilmenin mutluluğu parlardı bakışlarında.

Arkalarında boş ve soğuk koridorlar, önlerinde o temiz nevresimli yatakla en sevdikleri yemekler, ceplerinde sonsuzluğu andıran bir bayram tatili...

O bayram tatilini, o sonsuzluğu ve sigaranızı onlarla paylaşmaya hazırdınız.

Bari ateşiniz var mıydı?

Benim Avrupam

Benim Avrupam bir ilanı aşk:

Gün Doğmadan filmindeki genç kız ile delikanlı (çıtır bir Julie Delpy ile bıyık terletmiş bir Ethan Hawke) Viyana sokaklarında gün doğana dek yürür, şundan bundan konuşurlar.

Hayattan konuşurlar mesela, geceyi on yıl sonra nasıl hatırlayacaklarını kestirmeye çalışırlar. Birkaç saat önce tanışmışlardır. Sabah ilk uçakla ülkesine dönecektir oğlan. Anların, bakışların, sözcüklerin önemi büyüktür.

Döküntü dükkânlara girip plak dinler, sokak şairlerine dizeler yazdırırlar. Sevgili olmayı gün doğmadan başaramazlarsa trenin kaçacağını ikisi de bilmektedir.

Yani bir çift gencecik umuttur benim Avrupam: ince bir vals eşliğinde, zamana karşı şiir yazar. Bu yüzden acemi ve utangaçtır biraz.

Benim Avrupam bir ilanı harp aynı zamanda:

Karadziç Saraybosna'daki pazaryerine ateş açmış, kadınlar ve çocuklar öldürülmüş. Dört yıl boyunca kentler yağmalanacak. Genç kızlara tecavüz edilecek, yaşlı kıtanın göbeğinde birer yara gibi toplama kampları belirecek. Tecavüz kurbanı mavi gözlü kadınlar Saraybosna ormanına gidip karınlarındaki çocukları düşürmeye çalışırken, kan kaybından ölecek bazıları. Hastanelerdeki yaralılar kurşuna dizilecek, çarşıdan dönen teyzeleri kuş gibi avlayacak keskin nişancılar.

Üstelik bütün bunlar bizim kızla oğlan sabaha karşı öpüşürken olacak: Viyana'nın biraz güneyinde, Roma'nın biraz doğusunda.

Yani dev kanatlarıyla kiliseleri ve camileri gölgeleyen bir ölüm benim Avrupam; durdurmak için kimsenin kılını kımıldatmadığı. Meryem Ana'nın gözyaşları orada kırmızı akıyor.

Benim Avrupa'm bazen de bir prova.

Binlerce yıl sonra gelecek altın çağın taslağı sanki: Lüksemburg Parkı'nda bebeğini emziren anne, Kreuzberg'de esrar çekip yayılmış punk'lar, Hampstead'deki kahvelerde edebiyat tartışanlar ya da karlı Arbat Caddesi boyunca yuvarlanan sarhoşlar hep aynı şeyi demek istiyor:

"İnsanoğlunda mutlu olma yeteneği vardır. Bir gün bu yetenek sayesinde kurtulacağız kahırdan!"

Salonun boş kırmızı koltuklarına karşı günlük giysilerle yapılan bir Shakespeare provası benim Avrupam: Julliet'in lastik ayakkabıları ayağını sıkmakta, Romeo'nun tişörtünde "Britney Forever" yazıyor.

Acıklı bir Türk öyküsü de olabiliyor tabiî.

Berlin'deki bıyıklı manav, Alman sevgiliyle kaçan kızını bulup altı yerinden bıçaklıyor mesela.

Yargıç kürsüsündeki orta yaşlı sarışın kadına, şu hayattan hiçbir şey anlamadığını sonunda kabullenmiş olmanın tatlı huzuruyla bakıyor sonra. Oğulları da ön sıraya oturup derin derin iç çekiyor mahkeme salonuna karşı.

Benim Avrupam bir köşe başında yirmi birinci yüzyılla karşılaşmış Anadolu; uygarlıklar beşiği o değilmiş gibi, Kurfurstendamm vitrinlerine çocuksu bir şaşkınlıkla bakıyor. Bir yandan da Fatih Akın'ın kamerasını bekliyor, ele güne anlatılmak için.

Bazen de yaşlı bir dost benim Avrupam.

Yetmişinden sonra gemiyle çıkılan hüzünlü bir dünya turu, on dokuzuncu yüzyıldan kalma bir kilisenin görkemi, o görkemi finanse eden Afrikalı, Hintli, Güney Amerikalı çocukların kanı ile teri...

Başkalarının teriyle kazanılmış bir uygarlık zaferinden geriye kalan bilgelik... O bilgeliğin New York gökdelenleri karşısında her gün biraz da kavruk, biraz da küskün durması... Bunun verdiği eski moda bir yalnızlık ve sitem.

Benim Avrupam genç bir çığlık: yüz yıl önce Jön Türklerin

adımladığı bir meydanda, Irak'ın işgaline karşı yapılan gösteride atılmış. Çığlık birazdan uzayın sonsuzluğuna yükselecek ve buluşacak gezegenin diğer sesleriyle.

Benim Avrupam kıvrak bir vücut çalımı: Berberi delikanlısı Zidane'ın on sekize girerken yazdığı şiir ya da.

Benim Avrupam bir önyargı: İstanbul'da kadınların peçe taktığına, trafik lambalarında yürüyen ve duran deve resimleri olduğuna ve yazarların Arap alfabesiyle yazdığına ciddi ciddi inanan.

Benim Avrupam bir hayal: Yunan tanrıçaları gibi soyut ve ulaşılmaz.

Benim Avrupam bir gerçek: Fransız romanları gibi somut ve acımasız.

İçimizde Yeni Şeyler

Orhan Veli'yle elli küsur yıl önce yapılmış bir röportaj.

Gazeteci aynen şöyle sormuş: "Günün birinde bu yazdığınız şiirleri bırakıp ciddi şeyler yazmayı da düşünüyor musunuz?"

Zavallı Orhan Veli, bugün pek rastlanmayan bir edebiyatçı terbiyesiyle yanıtlamaya çalışmış: "Şahsen yazdıklarımın ciddi olduğu kanaatindeyim..."

Gazetecinin bu yanıttan hoşlanmamış olduğunu tahmin edebiliyorum. Biz insanlar yeni şeylerden pek hoşlanmıyoruz çünkü.

Galiba biraz da haklıyız: eski şeylere bile zor ayak uydururken başımıza bir de yeni işler açmak istemiyoruz işte. Hayatın terazisinde güçbela kurduğumuz dengeyi tehdit edecek yeni bir ağırlığa tahammülümüz yok.

Orhan Veli herhalde bu yüzden "ciddi şeyler" yazmamakla eleştirilmiş. Şiirleri fazla sade, fazla insancıl olduğu için kuşkuyla bakılmış hep. Bir de zaten kırklı yıllarda geçiyor olay. O zaman ne bilsinler onun yeni şeyler söylediğini.

Aslında şimdi de yeni şeyler söylemek lazım.

Belki de asıl şimdi yeni şeyler söylemek lazım. Aradan geçen sürede ciddiyetin çatık kaşları her yerden görünür oldu çünkü.

Ciddiyet bize diyebilir ki "Güneşin altında yeni bir şey yok".

O zaman, bugüne kadar söylenmiş olanları, bambaşka bir şekilde söylemek lazım. Tazelensinler, hiç söylenmemiş gibi olsunlar diye.

Yeni cümleler kurmak lazım. Özneyi ve yüklemi bambaşka şekillerde bir araya getirerek. Harfleri ve heceleri hiç gitmemiş oldukları adreslerde buluşturarak.

Severek, sevdirerek yenilemek lazım hayatın hücrelerini.

Sonra da kulağımızın pasını silecek yeni sesler çıkarmak lazım.

Yeni doğmuş bir bebeğin ilk ağlayışı gibi vahşi ve masum sesler mesela... Ya da bir çiçeğin açarken çıkardığı gibi gizli, sabırlı sesler... Onlarla yürümek lazım bizi boğan ciddiyetin üstüne. Elimizde çalgılarla sokağa çıkmak, en taze şarkılarla karanlığı vurmak lazım.

Çalınmamış notaları çalmak, onları duyulmamış bir müziğin parçası yapmak lazım. O müzik ki kalbimizin her atışıyla damarlarımıza akacak ve bitirecek ruhumuzdaki bin yıllık uykusunu aşkın.

Aşkı keşfetmek lazım.

Yelkenli gemilerle bakir denizlere açılmalı, dönerken de kraliçemiz için yeni kumaşlar getirmeliyiz. Onun huzuruna dudaklarımızda baharat tadıyla çıkmalı ve diz çöküp yeminler etmeliyiz.

Ama diyebilirler ki, "Aşk diye bir şey de yok".

O zaman aşkı icat etmeliyiz.

Herhalde ampulü ya da fotoğraf makinesini icat etmekten daha zor bir şey değildir bu. Hani Ortadoğu'da öldürülen çocukları yüzümüze çarpan fotoğraf makinesini...

Hani günlerce çantamızda taşıyıp gözümüze güzel bir şey takılınca çıkardığımız, tek harekette zamanı bizim için durduran fotoğraf makinesini...

Hani alt tarafı birkaç mercek ve kimyasal bileşimden oluşan o tuhaf, komik ve ciddiyetsiz aleti...

İşte onu icat etmekten daha zor olmamalı aşkı icat etmek. Basit bir mekanizması, kolayca öğrenilen kuralları var. Kalbinizi açıp düğmesine basıyorsunuz ve olaylar gelişiyor.

Nasıl tarih, yazının icadıyla başlıyorsa, kalbimizin tarihi de sevdanın icadıyla başlıyor işte.

Sevdanın icadı, matbaanın icadı gibi bir şey. Gutenberg'in tüm galaksiye yaptığını yapıyor kalbimize: onu temiz, anlamlı ve aydınlık kılıyor.

Yeni şeyler söylemek lazım.

Belki de ünlü reklamcı Bill Bernbach'a kulak vermeli. Altmışlı yıllarda yazdığı Volkswagen ilanlarıyla gönüllere taht kuran Bill, aynen şöyle demiş: "Yazarken kendinizi o güne kadar kimsenin düşünmediği cümlelerle ifade ettiğinizden emin olun."

Bir Orhan Veli şiiri gibi yani... O kadar yeni, aydınlık ve temiz... İnsana, "Ben de yazarım bunu" dedirten ama altmış yıldır başkası tarafından yazılamayan... Güneşin altındaki o eski şeyleri yepyeni bir ışıkla görüp yeni sözcüklerle anlatan...

Böyle işleri bırakıp ciddi şeyler yazmasını tavsiye edenlere de terbiyesini hiç bozmadan yanıt veren: "Şahsen yazdıklarımın ciddi olduğu kanaatindeyim..."

Yazdıklarımın ciddi olduğu kanaatindeyim.

Güler yüzlü bir ciddiyetle, peteğindeki arı gibi çalışıyorum. Kimseye sitemim, kimseden şikâyetim yok. Belki şans yüzüme güler de aklıma yeni bir cümle gelir diye, kalbimin derinliklerini kalemimle yokluyorum.

Duvardaki resminden bana gülümseyen Orhan Veli'ye bir selam yolluyorum.

İşaret Fişekleri

Aşk ile yazı arasında eski bir ilişki var, sırlarına varamadığımız. Aşk yazıya dönüştüğünde derinleşiyor, bir boyut daha ediniyor. Yazarken ruhumuzun aşka ait olduğunu, kalem tutan elimizin onun sayesinde kıpırdadığını hissediyoruz.

Aslında yazıya dönüşünce evcilleşiyor her şey. Yenilmez bir hüzün bile kâğıt üstünde taşımıyor eski gücünü.

Bunun tek istisnası aşk belki de.

Onu ne kadar yazarsak yazalım, şiddetinden bir şey kaybetmiyor. Harflerimizle beslenip gürbüzleşiyor hatta.

Yazdığımız zaman kadınların saçları daha uzun ve daha siyah oluyor birden. Dudakları çok daha kıvılcımlı bükülüyor güldüklerinde, ağladıklarında gözleri çok daha buğulu bakıyor.

Harflerin arasından geçerek yüreğimize yaklaşıyor kadınların parmakları. Onun bize her türlü sonsuzluğu bahşeden sesi alfabeleri aşıp ruhumuzu dolduruyor.

Bazen Japon yazısındaki gibi yukarıdan aşağı inen bir tutkuyu üflüyor kulağımıza, bazen Ortadoğu yazıları gibi tersten başlayan, kıvrımlı bir isteği. Kiril alfabesi gibi donuk, Greklerinki gibi Akdeniz kokan kadınlar da var.

Nasıl aşkın yeri ve zamanı olmazsa, yazının da mekânı, takvimi yok.

Beyaz kâğıdın karşısına geçince kendimizi bütün mümkünlerin kıyısında hissetmemiz gibi, âşık olduğumuz bedene bakınca da varlığımızı çağıran sonsuzu duyabiliyoruz.

İkisi de güzel ve tehlikeli yolculuklara çağırıyor bizi.

Dikkatli olmazsak aşk sınırlarından taşıp ruhumuzu işgal edebiliyor. Yazı da öyle.

Aşk her fırsatta karşımıza çıkıp bizi varlığından haberdar ediyor. Yazı da öyle.

Güzel bir şiire de dönüşebilen, mahkeme celbine de hizmet eden yazı, aşk tarafından taklit ediliyor.

Aşkı en eski harflerle, bin yıllık tabletlere kazır gibi kazıyoruz göğsümüze. Hem eski yazıcıların kollarındaki yorgunluğu hem de tabletin tenindeki sancıyı yaşayarak.

Aşkın verdiği acılar hâlâ insan olduğumuzu hatırlatarak mutlu ediyor bizi. İcabında değmeyecek biri için acı çekecek kadar yürekli olduğumuzu düşünüp kendimizle gizli gizli gurur duyuyoruz.

Yazı da hayatımıza mürekkep lekesi gibi yayılıp benzer acıları ve hazları yaşatıyor. İstiyoruz ki harflerin evreni kara delikleriyle yutsun, enerji patlamalarıyla yok etsin bizi. Varlığımız onun içinde erisin.

Aşk bizi hayatın giydirdiği deli gömleğinin içinden çekip alıyor. Çünkü deliliğimizin boyutları o kadar büyümüş oluyor ki onu zapt edecek bir şey kalmıyor artık.

Yazı da bizi doğamızla hiç beklemediğimiz anlarda buluşturabiliyor. İçimizde binlerce yıldır uyuyan o vahşiyi yeniden salıyor dünyaya.

İnsan roman yazarken de fark ediyor bunu, küçük bir mektubun son satırlarında da ürpererek anlayabiliyor. Aşk da yazı da doğuştan gelen yanımızla yüzleştiriyor bizi.

Ama bazen bunu istemiyoruz.

Yüzleşmek her zaman matah bir şey değil çünkü. İnsanın bir korkuluktan sarkar gibi kendi derinliklerine bakması bazen hayırlı olmuyor.

Ama âşıkken ruhumuzun katmanlarından, toprakla ve ateşle dolu yerlerinden geçe geçe merkeze yaklaşıyoruz. Dönüşte kendimize dair yeni bilgiler oluyor cebimizde. Bazen sevip yararlanıyoruz o bilgilerden. Bazen de öğrendiğimize öğreneceğimize pişman oluyoruz.

Böyle düşününce neyin "aşk yazısı" olduğunu anlamak zorlaşıyor işte.

Belki de her şey aşk yazısı, her harf eski bir sevgiliye ya da gelecekteki nefis sevişmelere verilen bir söz.

Sevişirken işaret fişekleri fırlatıyoruz göğe. Yazarken o fişekleri kendi içimizde patlatıyoruz. Bizi görsünler istiyoruz çünkü.

Zaten ne aşk ne de yazı kem gözlerden uzak durabilmiş tarih boyunca. İstediği şeyi yazdığı için zulüm gören yazarlar varsa, istediği erkekle seviştiği için öldürülen kadınlar da var.

Yazının büyüsüne kapılıp yalnızlığa sürüklenenler olduğu gibi, aşkın büyüsüne kapılıp iki kişilik bir ıssızlık inşa edenler de var.

Aslında yazı da aşk da aynı şeyini tehdit ediyor insanın: özgürlüğünü.

Aşk ve yazı önce hayatın zincirinden kurtarıyor bizi. Sonra da kendi kelepçelerini takıp tatlı bir özgürlük hayaliyle baş başa bırakıyor.

Aşk yazıyla, yazı da aşkla sevişiyor binlerce yıldır. Bizler bu sevişmenin çocuğuyuz.

Göbeğimiz sonsuza kadar kesilmeyecek bile olsa kendimizi özgür ve bağımsız zannediyoruz. Duvarlara "seni seviyorum'" yazmak geliyor içimizden, tarih boyunca binlerce yazar aynı şeyi yapmamış gibi.

Sonra k: mi elimize alıyor, bir işaret fişeği daha gönderiyoruz.

Kadınlar Bizi Seviyor

Biz erkekler, kadınlar konusunda deneyim kazanabileceğimize inanıyoruz.

Daha doğrusu, kadınları deneme-yanılma yöntemiyle çözülebilecek varlıklar olarak görmeye meyilliyiz.

Hayatımız "deneyim kazanma" hırsı üzerine kurulu çünkü. En iyi araba kullananların, en başarılı doktorların ya da en sıkı reklamcıların hep "yeterince deneyimli" olanlar arasından çıktığına dair sarsılmaz bir inancımız var.

Bu yüzden reşit olur olmaz hemen ehliyet almaya, silah kullanmayı öğrenmeye ya da "millî olmaya" çalışıyoruz. İstiyoruz ki zamanın rüzgârı gururumuzu okşayarak essin ve bir an önce deneyimli erkekler haline getirsin bizi.

Deneyimli olmak istiyoruz. Kimsenin olamadığı kadar.

Zor durumda düşüncesi sorulan, bir konuştu mu herkesi susturan birer guru olmaya niyetimiz var. Bizden daha toy olanlar her sözcüğümüzü dikkatle dinlesin ve başlarını hayran hayran sallayarak şöyle desinler istiyoruz: "Vay canına, işte tecrübe konuşuyor!"

Biz erkeklerin dünyasında bu istek o kadar önem kazanıyor ki, bazen iyice abartıp her şeyi "deneyim kazanmak" için yaşar hale geliyoruz. Millî takım maçlara deneyim kazanmak için çıkıyor, harekâtlar askerimize deneyim kazandırmak için yapılıyor, partiler seçimlere sırf deneyim kazanmak için girebiliyor.

Sanıyoruz ki yaşamanın bir yan etkisidir deneyim. Biz yaşarız, o kendiliğinden gelip bilincimize yerleşir.

Aslında Meksikalı şair Octavio Paz gibi kendi kendisiyle dalga geçenlerimiz de var: "Ben yaşadıkça deneyim kazanacağımı sanırdım. Oysa anladım ki deneyim kazanmak da bir yetenek meselesiymiş. Bu yetenek bende olmadığından ne yaşarsam yaşayayım deneyim elde edemiyorum" diyen.

Ama Paz gibiler azınlıkta ne yazık ki. Genel manzaraya bakarsak, bir deneyim düşkünlüğüdür gidiyor.

Neyse ki kadınlar var da, bu konudaki sınırlarımızı açık seçik görebiliyoruz. Yanlarından hiç eksik etmedikleri aynalarını yüzümüze tutup aslında ne kadar çaresiz olduğumuzu gösteriyorlar bize.

Bunu yapabiliyorlar; çünkü biz erkekler kadınlar konusunda deneyim kazanamıyoruz.

Biraz kazansak bile, onlar her zamanki değişkenlikleriyle deneyimlerimizi geçersiz hale getirmenin bir yolunu buluyorlar hemen. Deneyim kazana kazana güçbela ördüğümüz zırhımızı küçük bir dokunuşla delip oklarını kalbimize saplayıveriyorlar.

Arada "deneyimli erkek" diye bir kategori ortaya çıkıp prim yapıyorsa da, bu olay bizim çabamızdan çok, kadınlar o sıra öyle istediği için gerçekleşiyor.

Deneyimlerimizi geçersiz kılıyor kadınlar. Çünkü doğuştan gelen, deneyimlerimizle ilgisi olmayan, en doğal köşelerine dokunuyorlar yüreğimizin. Savaşlarda yaralana yaralana edindiğimiz zırhın altındaki o en masum, en erkek ve en insan köşeye.

İşte bu yüzden erkek erkeğe konuşurken birbirimize verdiğimiz hiçbir tavsiye kadınlar karşısında işe yaramıyor. Yarasa bile üç kuruşluk taktiklerimizi anlamazdan gelmeleri sayesinde olabiliyor bu.

Anlamazdan geliyorlar, evet; özellikle beklenti çıtalarını aşağı çektikleri zaman. Daha iyisinin varlığından kuşkuya düştükleri zaman. Yani deneyimlerimiz ancak kadınlar bizden umudu kestiği zaman işe yarayabiliyor. Yoksa pek hazzetmiyorlar zaten, bizim o çok övündüğümüz deneyimlerimizden.

Çünkü içten içe biliyorlar, bunun her zaman iyi bir şey olmadığını. Deneyimlerin insanın doğallığını ve yaratıcılığını törpülediğini bazen. Yaşama yeni renkler katmak için dünyaya on altı yaşındaki toy bir delikanlının saflığı ve heyecanıyla bakmak gerektiğini. Deneyim sandığımız şeyin çoğu zaman basit önyargılardan ibaret olduğunu. Üstelik biz erkeklerin belli sayıda deneyim kazandıktan sonra kendimizi geliştirmeyi bıraktığımızı.

Biliyorlar: kitap okumaktan, film seyretmekten ya da bir çiçeğin zamansız açışından etkilenmeyen erkekler en deneyimliler arasından çıkıyor hep. Deneyimleriyle ünlü siyasetçilerin ülkemizin ufkunu yıllarca karartması gibi, o adamlar da kendi deneyimlerinin loşluğunda kaybolmuş oluyor çoktan.

Taze gözlerle bakamıyorlar çünkü; ne hayata ne de kadına.

Kadınlarsa gözlerimizde birikmiş o tortuyu fark ediyor işte. Sonra da o müthiş yaratıcılıklarıyla geçersiz hale getiriyorlar deneyimlerimizi. Beklemediğimiz şekilde davranarak, ummadığımız tepkiler vererek, bizi şaşkına çeviren şeyler yaparak...

Yeniden acemi olmaya çağırıyorlar bizi. O temiz ruhlu, masum, iyi niyetli delikanlıları geri çağırıyorlar.

Eski Yunan'daki bağbozumu şenliklerinde dans edip eğlenen, katı kuralların dışına çıkıp kadınlıklarını doya doya yaşayanlar gibi; onların dansı, gözlerimizin önünde bugün de sürüyor aslında. Kadınlar en güzel danslarını, en içten duygularla hâlâ bizim için yapıyor.

Hayatta başımıza gelen şeyleri her kapıyı açacak deneyimlere değil de, yaşamı güzelleştirecek birer dokunuşa tercüme edeceğimiz günü bekliyorlar belki de: basit bir şiire, gerçek bir sevişmeye, bir kuşun uçuşuna...

Deneyimlerin ördüğü zırhtan soyunduğumuzda nasıl hafifleyip kuşlar gibi özgür olacağımızı biliyor ve bunu yapmamızı içtenlikle istiyorlar çünkü.

Çünkü kadınlar bizi seviyor hâlâ; her şeye rağmen.

Aşk Zekâyı Yenmektir

"Aşk, insanın kendisini aptal gibi hissetmekten hoşlanabilmesidir."

Bunu ilk romanımın kahramanı Arda söylemişti. Üstelik kendisi on yedi yaşındaydı ve ilk kez âşık oluyordu. Henüz kimseyle sevişmemişti.

İtiraf edeyim, yazdığı her şeyin arkasında duramıyor insan. Çünkü bazen sizin sözleriniz olmuyor onlar. Roman kişilerinin düşüncelerini yansıtmak için yazıyorsunuz. Üstelik bilen bilir; sağı solu belli olmayan, oynak tiplerdir kahramanlarım. Her zaman güvenemezsiniz.

Hele üzerinden zaman geçtiyse, kahramanlar yazarlarından iyice uzaklaşıyor. Araya başka kitaplar ve hayatın kendisi giriyor çünkü. Bir başkasının elinden çıkmış gibi görünüyorlar.

Ama Arda'nın bu basit tarifi, bugün bile doğru geliyor bana. Hayatı tanıdıkça Arda'ya hak veriyorum. Gayet gerçekçi buluyorum o hayalî genç kızın sözlerini.

Sayesinde aşkın bizi niye mutlu ettiğini anlar gibi oluyorum çünkü.

Aşk bizi mutlu ediyor, çünkü onun sayesinde kurtuluyoruz bilincimizden. Kendimizi aptal gibi hissediyor ve bundan zevk alıyoruz. Aptal bir âşığa dönüşmek resmen mutluluk veriyor bize.

Akıl devreden çıkınca doğaya dönüyoruz. Çıldırasıya sevişirken kendi doğamızla buluşuyoruz. Daha doğrusu, kendimizi doğanın bir parçası gibi hissediyor ve unutuyoruz acılarını dünyanın. Akıl geri dönünce uzatmalar başlıyor.

Bilinçlendiğimiz an yabancılaşmışız doğaya. Kendimizi onun

dışında bir varlık gibi görmüş, bir parçası olmaktan çıkmışız.

Aslında tam bir cennetten kovulma hikâyesi.

Bitki ve hayvanların böyle dertleri yok. Aslan aslan olduğunun, ağaç ağaçlığının farkında değil. Zaten bu yüzden doğanın içindeler hâlâ. Bizse milyonlarca yıldır bedelini ödüyoruz bilincimizin.

"Ben insanım, şu gördüğüm de doğa" dediğimiz günden beri bir çeşit sürgündeyiz.

Bize bunu söyleten bilinç yüzünden sürülmüşüz uzaklara. O gün bugündür bir dönüş bileti arıyoruz. Anneler bebeklerini emzirirken, dedeler ağaçlarını dikerken doğaya yaklaştıklarını hissediyorlar.

Aşk da bize evimize giden yolu gösteriyor işte.

Birini sevdiğimizde bilinç susuyor ve aptallaşıyoruz. Bilinç susunca insan kendisini yeniden doğanın bir parçası gibi hissediyor. Böylece ulaşıyor vaat edilmiş topraklara.

Anlıyoruz: akıllı fikirli yaratıklar olduğumuz için yanmışız meğer. Kendi doğamızı bastırdığımız, isteklerimizi ertelediğimiz için.

Bunu yapmışız çünkü uygarlık böyle buyurmuş.

Yüzlerce katlı gökdelenlerin ve görkemli tapınakların temelinde gem vurulmuş arzular var. Bastırılmış her arzu, potansiyel bir sanat eseri. Doğaya yabancılaşarak uygarlığın bedelini ödüyoruz.

Neyse ki aşk var. Doğaya dönmenin nasıl bir şey olduğunu hissettiriyor bize. Uygar olalım derken neler kaçırdığımızı fısıldıyor. Âşık olunca kendimizi kaybetmemiz de doğayla buluşmanın bu şok edici mutluluğu yüzünden.

Aşk bir şok çünkü; bilincimizi felç eden.

Herhalde bu yüzden âşık olmaya çekiniyor bazıları. Aşkla karşılaştıklarında kaçacak yer arıyorlar. Duygusuz ya da zalim oldukları için değil, korktuklarından.

Bilinçlerini yitirmekten korkuyorlar. Çünkü çıplak ve savunmasız hissediyorlar o zaman kendilerini. Haklılar da; gerçek aşk, sevgilimize karşı çıplak ve savunmasız kalmaktır.

Bunu yapmayanlar için üzülebiliriz belki, ama onları suçlayamayız. Yaralanmaya açık bir yaşam zor gelebilir bazılarına.

Tabiî ki kontrolü kaybetmeden, aklı başında bir hayat sürebiliriz. Kimse bizi zorla âşık etmiyor. Aşkın tadını almasak da geçip gidiyor ömür.

Zaten aşk hayatın içinde bir an sadece. Bazen birkaç hafta, bazen yıllar süren. Sürerken bizi aklımızdan kurtaran, doğanın bir parçasına dönüştüren. Sonsuzluk okyanusunda minik bir ada. İçine umutlarımızı koyduğumuz bir küçücük kutucuk.

Âşıkken doğamızla barışıyor ve aptallığın tadını çıkarıyoruz yine de. Sevişirken doğaya döndüğümüzü zannedip mutlu oluyoruz.

On yedi yaşındaki Arda'nın söylediği o masum söz rehberlik ediyor bana. İnsan zekâsını yendiğinde kendi kitaplarından bile bir şeyler öğrenebiliyormuş meğer.

Oysa zaten bal gibi biliyoruz acı gerçeği.

Aşkın geçici olduğunu, bilincin er geç döneceğini... Büyü bozulunca koşarak gelip yıkacağını her şeyi... Büyük bir hayal kırıklığı duyacağımızı bu yüzden... Hepsini bile bile yaşıyoruz aşkı. Zeki olmaktan hoşlanmıyoruz çünkü, itiraf edemesek de.

Gördüğümüz her şeyi anlayıp yorumlamak iflahımızı kesiyor hayat boyunca. O çok övündüğümüz zekâmız bizi yalnız ve huzursuz varlıklar haline getirmekten başka işe yaramıyor.

Aşksa yalnızca aptallık veriyor bize. Sürgünden dönmemizi sağlayan o güzel aptallığı.

Cennetin Kokusu, Mantığın Uykusu

"Çocuk kokusu, cennet kokularındandır" deniyor, kutsal kitapta. Ben o cennet kokulu yaratıklarla yıllarca anlaşamadım.

Ne zaman biriyle konuşmam gerekse panikledim. İki lafı bir araya getiremedim. Gözlerini bana çevirdiklerinde telaş ile çaresizlik karışımı bir duyguya kapıldım hep. Bir çocukla baş başa kaldığımda zaman geçmek bilmedi.

Yaptığım hiçbir espri komik değildi sanki. Bütün masallarım sıkıcı, bütün oyunlarım demodeydi.

Yüce Rabbim, bir çocuğun insana yanaklarını şişirip gözlerini devirerek bakmasından daha moral bozucu ne olabilir?

Derken bir şey keşfettim.

Belki de hatam onlara "çocuk" gibi davranmaktı. Çocuklar bundan hoşlanmıyor ve iletişimin kapılarını çarpıyorlardı yüzüme. Ördek kardeş taklidi yapmamı, başımdan geçenleri basitleştirerek anlatmamı beğenmiyorlardı.

Fark edince hemen çocukluğumu düşündüm ve anladım püf noktasını: anneme ve babama en çok beni kandırmaya çalıştıkları ve bunu başardıklarını zannettikleri zamanlar sinir olmuştum. Zekâmı küçümsemelerine dayanamıyordum. Neler döndüğünün gayet iyi farkındaydım. Bana dünyadan habersiz bir böcekmişim gibi davranmaları gururumu kırıyordu.

Böylece taktik değiştirdim. Cennetin kapıları bana açılıverdi.

Çocuklara yaşıtım gibi davrandığım zaman hemen yanıt verdiklerini gördüm. Başka gezegenden gelmiş ilkel bir canlı türü değildi onlar. Yalnızca ilgi alanları ve dikkatleri farklıydı. Her insan gibi bunlara saygı gösterilmesini bekliyorlardı. İstedikleri

olunca da bizi adam yerine koyuyor ve anlattıklarımızı dinleme-
ye başlıyorlardı.

Bizim anladığımız anlamda "çocuk" diye bir şey yok belki de.

Evet, gözümüzü kapatınca aklımıza kırlarda kelebekler gibi
seken bir çocuk imajı geliyor, ama bu daha çok biz yetişkinlerin
yarattığı bir şey. Çocukları zerre kadar ilgilendirmiyor. Onlar her
fırsatta bu imajdan sıyrılmaya ve bizi dehşete düşüren bir sonsuz-
luğa koşmaya bakıyorlar.

Mesela, reklam şirketlerinde sık sık çocuk oyuncu seçmeleri
yapılır. Özellikle annelerinin ellerinden tutup getirdiği çocuklar-
da şöyle bir hal vardır: hepsi de rolü kapmak için yetişkinlerin
gözündeki "çocuk" imajına hizmet etmeleri gerektiğinin bal gibi
bilincindedir. Beş dakika önce normal insan gibi davranan, ko-
şup oynayan çocuklar kamera çalıştığında birden çocuk taklidi
yapmaya başlar.

İşin kötüsü, onları bu üçkâğıda zorlayan bizizdir aslında. Ob-
jektife gözlerini sevimli sevimli kırparak bakar, ellerini önlerinde
birleştirip iki yana sallarken aslında şu mesajı verirler: "Günah
bizden gitti. Bunu siz istediniz!"

Fazıl Hüsnü Dağlarca "Çocuklar korkunç, Allahım" derken
haklıydı belki de.

William Golding de *Sineklerin Tanrısı*'nı yazarken herhalde ço-
cuk dünyasındaki bu ürkütücü potansiyelden hareket etmişti.

Gerçekten de çocuklardan çekinen bir yazarın kitabı o. Belli ki
adamcağıza çocuk denen şey hiçbir zaman tam olarak anlaşıl-
mayan, içeriği çözümlenemeyen bir madde gibi gelmiş. Onu
kontrolden çıkınca nasıl bir patlamaya yol açacağını hayal ett-
ğinde kan ve vahşet görmüş yalnızca.

Bu bir bakıma Batı düşüncesinin kendinden aşağı gördüğü
tüm uygarlıklar karşısında duyduğu bir kaygı. Herhalde çocuk
milleti yetişkin Batılılara henüz hizaya sokulmamış bir Afrika ka-
bilesi gibi görünüyor. İyi kontrol edilmediklerinde sapıtıp kend-
lerini mahvedecekler sanki.

Aslında yetişkinler çocuklara gezegenin her yerinde benzer
kaygılarla yaklaşır. Onlara göre kedilerin gözlerini oyan, zevk

için araba lastiklerini indiren, küçük kardeşlerini kanepeden aşağı yuvarlayan, az gelişmiş bir ırktır çocuklar.

Golding'in kitabının sonunda imdada yetişen askerlerin yaptığı gibi, çocukları kendilerinden korumamız lazımdır. Bunun yolu da süper bir kontrol mekanizmasından geçer. Tabiî biz bu kafayla gidince çocukluk yetişkinler tarafından sömürgeleştirilen bir ülkeye dönüşür yavaş yavaş.

Oysa Beslan'da el kadar öğrencileri çocuklar değil, yetişkinler gözlerini kırpmadan öldürmüştür. Saraybosna'daki pazaryerini yetişkinler bombalamış, Bağdat'taki okulları eşek kadar adamlar yerle bir etmiştir. Hiçbir çocuğun vahşeti yetmez bunları yapmaya.

Zaten aydınlanmanın simgelerinden Rousseau, "Çocukluk mantığın uykusudur" derken bildiğimiz çocukluktan değil, sapanıyla yetişkinlerin içindeki kuşları avlayan bir mikroptan söz etmiştir.

Çocukları öldüren şey yetişkinlerin içindeki çocuktur aslında.

Yetkiye ve silaha kavuşan o çocuk bunları dizginleyecek mantıktan yoksun kaldığında kendisini tanrı gibi görmekte ve insan ile sinek arasındaki farkı unutmaktadır.

Bunu düşünmek hoşumuza gitmese de, her an yeni toplama kampları inşa edecek bir karanlık vardır insanoğlunun içinde. Zavallı çocuklarsa o nefis dürüstlükleriyle bunu yüzümüze vurdukları için bizi korkutur zaten.

Bazı Kızlar Yalnız Yaşar

Kendilerine ait bir evleri olsun, orada kendi dünyaları nefes alıp versin isterler. Seçilmiş bir yalnızlıktır bu.

Gezegeni dev bir orman gibi düşünecek olursak küçük bir kovuk, bir okyanus gibi düşünecek olursak tertemiz bir ada, lunapark diyecek olursak tek kişilik ve sağlam bir çarpışan arabadır aradıkları.

Ülkemizde kızlar evlerini ararken erkeklerin bilmediği yollardan geçer. Onların dikkatini bile çekmeyen yılanlardan ve zehirli böceklerden kaçınmaları gerekir.

İçinde kitaplarını okuyacakları, müziklerini dinleyecekleri o yuvanın pencerelerinden görünenler kadar, o pencerelere bakanları da hesaba katmaları lazımdır. Perdelerini çekinmeden açabilecekleri, güneşe korkusuzca bakabilecekleri balkonlara ihtiyaç duyarlar.

Ev sahibiyle anlaşıp peşinat ve depozito ödemekle bitmez iş. Ev sahibinin aklındaki "tek başına yaşayan kız" imajı ve komşuların tipleri de önemlidir.

Yalnız yaşayan bir kız gece çantasında anahtar ararken (ah, hiçbir zaman çabucak bulunmaz o anahtarlar) kapıyı aralayıp pis pis bakacak bir komşu bile tecavüz duygusu yaratabilir insanda.

Ama insanımıza haksızlık etmeyelim. Bazen de bunun tam tersi olur.

Halden anlayan, insanlığı tam komşulara denk gelir kızımız ve bir anda herkesin gözdesine, apartmanın prensesine dönüşür.

Artık zırt pırt dolma sarıp getirenler mi istersiniz, birkaç gün sesi çıkmayınca merak edip yoklayanlar mı, biraz hasta olunca tarhana kaynatıp yetiştirenler mi...

Milletimizin bütün temiz yönleri kış uykusundan uyanır ve apartmandaki kızın rahatı için seferber olur. Ama dikkat edilmezse bunun da suyu çıkabilir. Çat kapı kahve falı bakmaya gelen komşu teyzelerden, beraber dizi seyretmeye hevesli ablalardan başını alamaz olur kızımız. Hatta onlar yüzünden kendisini ilk apartman toplantısında ön cephenin ne renge boyanacağını tartışırken bile bulabilir.

İşin kötüsü, kızları tek başına oturan anne babalar böyle komşulara bayılır ve onlarla derhal işbirliği yapar. Özene bezene büyüttükleri kızlarına konu komşunun sahip çıkması içlerini ferahlatır, yüreklerini soğutur, burun deliklerini titretir.

Oysa ne kuşkuyla bakılmak ne de sahip çıkılmaktır bizimkinin aradığı.

O sadece her metrekaresinde kendisini göreceği bir ayna ister.

Bir kış akşamı işten ya da okuldan döndüğünde küçücük dünyasını dolduran koltuklarına, baba evinden getirilmiş tabaklarına ya da taksitle aldığı kırk sekiz ekran televizyona bakıp ruhunu tanımak ister.

İster ki küçücük evi onun ruhunu yansıtsın. Bakınca kendisine dair yeni şeyler öğrenebilsin.

Tek başına yaşayan kızlar bazen yalnızlığa meraklı olur. Habersiz damlayan misafirlere sinirlenirler mesela. Kanepede battaniyenin altına girmiş, meyve tabağını başucuna koymuş, başlayacak filmi beklerken kapı zilini duymak, onlarda karate öğrenme arzusu uyandırabilir.

Hem her zaman dedikodu yapacak, aşktan ya da felsefeden bahsedecek hali yoktur insanın. Yalnız yaşayan kızlar aşkın bazen tek kişilik bir şey olduğunu; onun tatlı bir yalnızlık içinde de yaşanabileceğini bilir ve zevk alırlar bundan.

Tabiî, yalnız yaşamanın bedelleri vardır. Bu bedeller kızımızın bütün kirayı tek başına vermesiyle başlar (genellikle maaşın üçte biridir). Sonra gelmeyen ustalarla, densiz bakkal çıraklarıyla itişip kakışmayı da öğrenmek gerekir.

Ama tek başına yaşayan kızlar bunu erkeklerden çok daha hızlı kavrar. Erkeklerin durmadan savaş halinde olduğu evlerle onlar gül gibi geçinir hep. İşin güzeli, ev de bunu anlar ve karşılık verir. Şahsen, kızların ampullerinin daha ender patladığına, sifonlarının daha az bozulduğuna şahit olmuşumdur.

Kadınların doğuştan Feng shui'si vardır sanki.

Virginia Woolf, 1929'da yayımlanan ve *Kendine Ait Bir Oda* adlı efsanevî kitabında, kadının toplum içindeki yerinden üzülerek bahseder:

"Düşsel planda kadın son derece önemlidir; gerçek yaşamda ise tümüyle önemsiz. Şiiri bir baştan öbür başa kaplar; tarihte hiç görülmez. Kurmaca yazında kralların ve fatihlerin yaşamlarına hükmeder; gerçek yaşamda ailesinin parmağına bir yüzük geçirdiği herhangi bir oğlanın kölesidir."

Ama meraklı mahalleli de atlatılır sonunda; iyi niyetli komşu teyzelerle yaşamanın çaresi de bulunur. Kış sabahlarında kızlar, sevgileriyle ısıttıkları evlerinde oturup çaylarını karıştırırlar. Çok iyi bilirler ki yalnızdırlar, ama tek başlarına değildirler.

Yalnız yaşamalarını sağlayan cesaret, onları tüm insanlığa bağlar. Dört duvar içinde de olsak geniş meydanlarda da, bütün mücadele bir sözü hatırlamak içindir çünkü.

Eski şiirlerden fırlayıp gelen bir sözü.

"Ey özgürlük!"

Erkekler Çiçektir

Bakmayın, yufkadır biz erkeklerin yürekleri.

Hassas, kırılgan, pamuk kıvamındadır.

İçlerinde hem sevmeye hem de duygulanmaya yetecek yer vardır. Ama göstermeye fırsat bulamayız pek. Çünkü geleneklerden oluşan gaz ve toz bulutu doğduğumuz an bizi çevreleyip emdiğimiz sütü burnumuzdan fitil fitil getirmiştir.

Kafamız lüzumsuz dayatmalar, töreler ve erkeklik değerleriyle öyle doludur ki, yüreğimize bakıp oradaki çiçekleri görmeye fırsat bulamayız pek.

Ama çiçektir bütün erkekler. Nazlı, ketum ve gururlu çiçeklerizdir.

Bir kadın bizi anlayıp su ve ışık verdiğinde hemen açıp birer botanik harikasına dönüşüveririz.

Kasımpatı gibi oluruz mesela...

Sert kasım rüzgârlarıyla patlar, sert görünüşlü kalbimizin balkonundan seyrederiz geleni geçeni.

Dilimizin altında söylenmemiş sözler vardır. Ruhumuzun diplerinde saklı bir sevda bekler. Söylenmemiş şeylerin güzelliğiyle serpilir, uzun süre solmadan durabiliriz. İsteriz ki Akdenizli bir kadın çıksın, sorsun halimizi. Sıcak güneşiyle bizi ısıtsın ve kurtarsın delikanlı ruhumuzu, içimizdeki bitmek bilmeyen sonbahardan.

Akşamsefası gibi ya da...

Sadece yaz akşamlarında açar, boynumuzu sadece ince bilekli, güzel ayaklı kadınların önünde eğeriz, parmaklarını öpmek için.

Bu gece hayatımız yüzünden adımız kolayca çapkına, arsıza çıkar. Oysa kimse bilmez; ipek gibidir dokumuz. Güneşin sert ışığından, gündüzün itiş kakışından yaralanır, içten içe kanarız.

Sonra yine gece olur, giyinip süslenip çıkarız piyasaya.

Kendimizi dosta düşmana sakınmadan gösteririz. İlgi çekmek için misler gibi kokar, sabahın ilk ışıklarıyla karışırız kayıplara. Kadınları kendilerine âşık edip kaçanlar, sevdiği kız yüzünden adam vuranlar akşamsefaları arasından çıkar.

Yaz aşklarını saygıyla yaşar, usulca öperiz bizi koparan kadınları boyunlarından.

Manolya gibi olanlarımız da vardır.

Eğer manolya erkeğiysek, sadece görünüşümüz değil, adımız bile iyilik çağrıştırır. Bizi koklamak güzel olmasına güzeldir de ilişki ciddiye biner, hele evliliğe falan uzanırsa sorun yaşanabilir. Çok uğraşmak gerekir çünkü manolyalarla.

Onlara özen göstermek, başlarını okşamak gerekir. Aslında yanlarında kendinizi eski bir Rus romanında zannetmeniz işten bile değildir. Karın döne döne yağdığını, uzaktan bir atlının yaklaştığını hayal meyal görürsünüz. Öyle romantik, öyle yiğittirler. Sevdiklerine kendilerini öykünün esâs kızıymış gibi hissettirirler.

Gerçi bu durum bir süre sonra fenalık da getirebilir kadınların içine. Şimdiki zamanı ve gerçek hayatı özletebilir. Yine de bir manolya ağacına bakıp onu zarif bir erkeğe benzetmek güzel şeydir.

En azından manolya tarzı erkekler bayılır böyle benzetmelere.

Erguvan çiçekleri de Boğaz kıyılarına bayılır.

Beyefendidir erguvan erkekleri. Kadınları anlamayı, onlarla konuşurken her sözcüğü bir şölene çevirmeyi gayet iyi bilirler. Aşiyan'a gidip boğaz kıyılarını gerdanlık gibi süsleyen erguvanlara bakar, orada inci gerdanlığın süslediği bir kadın boynunun hayalini görürler.

Bir kadın için böyle bir erkekle birlikte olmak erguvan ömrünü yaşamaya benzer. Pembeden eflatuna doğru, sevişe sevişe gidersiniz. Siz sevişirken aylardan hep nisan olur, hiç bitmez.

İçindeki doğanın coşmasını, kadınlığının çiçek açmasını isteyenler bilsin: erguvan erkekleri tam onlara göredir.

Kamelyalı kadınlarsa başka erkeklerden hoşlanır.

Kamelya erkeklerinde Doğu'nun güzelliğini bulursunuz. Narinliği ve gücü aynı anda görürsünüz mesela. Bu yan yana geliş doğrudan dişiliğine etki eder bir kadının.

Kamelyalı Kadın öyküsündeki aşk nasıl imkânsızsa, kamelyalı bir erkeği yüzde yüz anlamak da o kadar imkânsızdır. Bu yüzden ulaşılmaz görünürler ilk bakışta. Bu yüzden yalnız, tuhaf ve çocuksudurlar.

Belki güzeldirler güzel olmasına; ama bu güzellik bazen de hüzün verir.

Biz erkekler, çiçeğizdir. Solmaya hazır taçyapraklarımız, kolayca bükülen birer boynumuz vardır.

İyi bakılırsak çok iyi sevgili olur bizden. Baba, ağabey, kardeş olur. Ama hayat fırtınası dört yandan eserken zorlanırız bazen. O zaman isteriz ki çiçek adlarını bilen bir kadın girsin rüzgârla aramıza. Her şeyi göze alıp korusun bizi.

Korusun ki açalım, onun güzel bahçesinde.

Bağıra Çağıra

İlk duyduğumda çocuktum ve çok etkilenmiştim. Ağzımızdan çıkan hiçbir ses kaybolmuyordu aslında. Hepsi dalga dalga uzaya akıyor, o bilinmez sonsuzluğa karışıyordu.

Uzayın piknik sepeti sözcüklerimizle doluydu yani.

Annemin bizi yemeğe çağıran sesi de, babamın kahkahası da bu sayede sonsuza kadar yaşayacaktı. Kardeşimin elini yaktığı zaman attığı çığlık uzak yıldızları korkutacaktı belki.

Anlamıştım hemen; çizgi romanlardaki uzaylılar gerçekten varsa, sesimizi duyacaklardı. Süper teknolojileri sayesinde sözlerimizi tercüme edecek, ne demek istediğimizi şıp diye anlayacaklardı. Sırlarımıza sahip olacaklardı böylece; en mahrem şeylerimiz bile antenlerine takılacaktı.

Madem duyuyorlardı her şeyi, dikkatli olmak lazımdı.

O günden sonra ağzımdan çıkan her söze dikkat etmeye başladım. Hatta çıkardığım seslere bile dikkat ettim. Kendi kendime bir şarkı mırıldanırken gökyüzüne göz kırptım mesela. Sesim çok güzel değildi, kusura bakmasınlardı.

Sonra yıllar geçti, unuttum bu gerçeği. Uzaylı dostlarım çıkıverdi aklımdan. Bu arada kim bilir ne küfürler fırlamıştır ağzımdan, ne yalanlar söylemişimdir. Gitar çalmayı öğrenirken garip sesler çıkarmış, rock şarkılarını yüksek sesle dinlemişimdir. Verdiğim rahatsızlıktan ötürü kendilerinden özür dilerim.

Çocukken öğrenmiştim oysa; hiçbir ses kaybolmuyordu.

Bunu bir kızla sevişirken yeniden hatırladım.

İnsanın sevişirken çıkardığı sesler öyle garip, o kadar benzersizdi ki... Antenli bir dostumuz onları duysa kim bilir ne zannederdi. İşin komiği, hayatta çıkardığımız seslerin benzeriydi çoğu.

Canımız yanmış gibi bağırıyor, kızmış gibi homurdanıyorduk. Bir hastanın iniltileri de çıkıyordu ağzımızdan, vahşi atalarımızın çığlıkları da. Bunları dinleyip olan biteni anlamak zor işti; tüm kalbimle kolaylıklar diledim uzaylılara.

Ama korktum da onlardan. Neler döndüğünü anlamış olabilirlerdi.

Zaten anlamasalar bile o an geldiğinde bağırmamak için dişlerimi sıkmak biraz zor oluyordu. Zamanla ses dalgalarının uzaydaki macerası gözümde eski tatlılığını yitirdi bu yüzden. Evrende yalnız olmadığımızı düşünmek sevimli gelmemeye başladı. Bütün uzaylıları aşağılık röntgenciler gibi görüyordum artık.

İnce duvarlı evlerde sevişiyorduk oysa. Sevgilimiz zamanı geldiğinde uzanıp avucunun içiyle dudaklarımızı örtüyordu. Başkasının kulağına gitmesin diye içimize akıtıyorduk ruhumuzdan fırlayan çığlıkları.

Çünkü biliyorduk: yaşadığımız coğrafyada sevişirken bile özgür değildik aslında.

Ruhumuz da bedenimiz de karanlık bir gücün kontrolü altındaydı. O güç en ummadığımız anda gösterebilirdi kendini. Sevişmenin gerçek yerini bulmadığı her kavim gibi bizimkinde de gizli ahlak polisleri ve ispiyoncular mevcuttu.

Sevişmenin değil görüntüsüne, sesine bile yoktu tahammülleri.

Ne onların kulak kapakları vardı ama, ne de bizim volüm düğmemiz. Gençtik ve bağıra çağıra sevişiyorduk. Sevişmeyi bazen bir muhalefet gibi görüyorduk. Hayattaki sessizliğimizin acısını böyle çıkarıyorduk. Kendilerini feda edip ağız tadıyla sevişememiş kuşaklar için de sevişiyorduk sanki. Çıkardığımız sesler kötülerin camlarını sallasın istiyorduk.

Gençtik ve sevişmeyi bir şey sanıyorduk.

Sevişmek bir şey değildi oysa. Ne yemek yemekten daha önemli, ne de nefes almaktan daha az doğaldı. Bizse seviştiğimiz her tende yeni bir mucize arıyorduk.

Sevişirken çok ses çıkarıyorduk.

Sonra yıllar geçti ve başkalarının seslerini dinlemeye de başladık. Şu anki çalışma odamın hemen üstünde bir çift var mesela. Ben yazmaya başladığımda onlar da sevişmeye başlıyor. Sesleri yavaş yavaş yükseliyor, sona doğru iyice duyuluyor. Zamanla bunu kendim için bir oyun haline getirdim. Onlar doruğa ulaşana kadar sayfayı bitirmeye çalışıyorum.

Onların uzaylı dostuyum yani; çıkardıkları her sesi duyan.

Pis de bir röntgenciyim; sesleri dinleyerek görüntüyü canlandırıyorum çünkü gözümde. Onları görmesem bile o an hangi konumda olduklarını, yüzlerinin ifadesini falan tahmin edebiliyorum.

İşin kötüsü, hoşuma da gidiyor; ben yazayım onlar sevişsin istiyorum. Benim yerime de yapsınlar bu işi. Avaz avaz çıksınlar hayat denen kibarlık budalasının karşısına. Asla pes etmesinler.

Uzayın derinliklerinde yankılanacak sevişmeler diliyorum bütün komşularıma. Ruhlarımızı iğdiş etmeye meraklı olanların karşısına çıksınlar, korkmasınlar ve bol bol sevişsinler istiyorum.

Hem de bağıra çağıra.

Bilmiyorum

Can dört aylık oldu.

Dört aydır, şu fani dünyada edebiyattan daha önemli bir şey olduğunun gayet iyi farkındayım.

Bu önemli şeyin merakla bakan gözleri var. Gülümsemeye başlamış bir ağzı var. Bir türlü çıkmayan saçları, kavunumsu bir başı var. Ona baktıkça hayat bilgimi tamamen gözden geçirmem gerektiğini ve Sokrates'in lisede öğrendiğimiz ünlü sözünün aslında ne anlama geldiğini anlıyorum:

"Bildiğim bir şey varsa, o da hiçbir şey bilmediğim."

Babalığın, ruhumu tam olarak nasıl etkilediğini bilmiyorum. İçimde hangi çalgıların hazırlandığını, ibrenin yarın hangi kutbu göstereceğini de. Tarihin ve zamanın rüzgârları Can'ı ve yaşlı babasını nerelere savuracak, araya hangi mutluluklar, hangi engeller girecek, biz bunları aşmak için neler neler yapacağız, inanın hiçbir fikrim yok.

O kadar akıllı değilim demek ki.

Aklımın biraz olsun çalıştığı o nadir anlar da kendi cehaletime şaşarak geçiyor. Levent'ten Küçükarmutlu'ya doğru gidiyorum mesela. Bizlere göz okşayıcı bir New York silueti sunan gökdelenler, yarım dakika içinde gecekondulara bırakıyor yerini.

Soho ile bakımsız bir Anadolu köyünü ayıran birkaç kilometre yalnızca.

Küçükarmutlu'nun eğri büğrü sokaklarında sek sek oynayan çocukların yanında durup, onların gözüyle bakıyorum ufku kaplayan "İstanbul Skyline" manzarasına... Bunun onlar için ne anlama gelebileceğini hiç mi hiç bilmiyorum.

Tıpkı, Akmerkez'in en üst katındaki hamburgercide bir çay parasıyla saatlerce oturup çevreye bakınan Gaziosmanpaşalı çocukların düşlerini bilemediğim gibi.

Tıpkı, ekmeğini maden ocağının dibinde arayan o esmer delikanlının gerçeklerini bilemediğim gibi.

Tıpkı, Volga kıyılarında başlamış gençliğini Elmadağ kaldırımlarında tüketen Svetlana'nın neye gülümsediğini bilmediğim gibi.

Tıpkı, lüks bir gece kulübünün tuvaletinde ağlayan manken kızın yaralarını bilmediğim gibi.

Bilmiyorum. Ve bunu yüksek sesle söyleme gücünü bana oğlum veriyor.

"Baba olmak yazarlığınızı nasıl etkiledi?" diye soruyor gazeteci arkadaşlar sık sık. İşte böyle etkiledi. Bana "bilmiyorum" deme gücünü ve cesaretini verdi. Bunun için ona müteşekkirim.

Bebeğimin gülümseyişi evrenin tüm muammalarını yansıtıyor. Kokusunda gizemli uygarlıkların tütsüleri var. Tenindeki yumuşaklık, uzak bir gezegendeki barışçıl canlıların ruhuna eş.

Hiçbir şey bilmiyorum... Ve bu, bana mutluluk veriyor.

Devirdiğim kitaplar, geride bıraktığım kitaplıklar, o kül rengi odalarda tuttuğum günlükler, aldığım notlar, çıkardığım başlıklar... Hepsi savrulup gidiyor bu yeni cehaletimin karşısında.

Edebiyatçı olduğumdan da kuşkuluyum artık.

Hatta edebiyat diye bir şey olduğundan da.

Homeros'tan Kafka'ya, Nabokov'dan Faulkner'a, o devlerin hiçbiri "edebiyatçı" değildi belki de. Yazarak içlerindeki canavarı yemlemeye çalışan, hayatın anlamsızlığına böylece direnmeye çalışan talihsiz ruhlardı hepsi.

Var olabilmek için yazıyorlardı yani. Edebiyat yapmak için değil.

Belki de sözün ve yazının ötesinde bambaşka, çok daha derin bir hayat vardır ve anahtarı da dört aylık bir bebeğin avuçlarında durmaktadır. Olamaz mı?

Can'ın uykudan şişmiş gözlerine bakıyor, soruyorum kendime: "Yazmadan da yaşayabilir misin?" diye.

Cevabım hızlı geliyor: "Elbette..."

Yazıdan ve onun alacakaranlığından uzak bir yaşam belki de daha tatlı olurdu. Hangi yazardı o, "Edebiyatçı olmak isteyenlere ne önerirsiniz?" diye sordukları zaman "Mümkünse olmamalarını..." diye cevap veren? Truman Capote muydu, Scott Fitzgerald mı? Şimdi bilemiyorum.

Yalnızca bu yeni özgürlüğün tadını çıkarıyorum bugünlerde. Yani "bilmiyorum" deme özgürlüğünün. Sorduğum adresi bilmediği her halinden belli olsa da uzaklara doğru bakıp ciddiyetle bir şeyler tarif eden bakkal çırağını gülümseyerek dinliyorum. Delikanlı birkaç dakika kaybetmeme neden olacak yalnızca. Bazıları "bilmiyorum" demeyi bilmedikleri için çok daha kitlesel sorunlar yaratabiliyor.

Bizde de kabahat var tabiî. Cebinde kurtuluşumuzun reçetesini taşıyormuş gibi davranan tiplerden daha kolay etkileniyoruz herhalde.

Bunun da mutlaka sosyolojik, psikolojik bir açıklaması vardır, ama şu an bilemiyorum.

Oğlum oyuna bekliyor, müsaadenizle...

Sonbaharın Yabancısı

O gün hayatımda ilk defa içinde Attilâ İlhan olmayan bir dünyaya baktım.

Gökyüzü kül rengiydi. Yağmur onun şiirlerindeki gibi, şık bir hüzünle yağıyordu. Sonbahar en şiirli haline bürünmüştü, şairi uğurlamak için.

Bense sudan çıkmış balık gibiydim. Baktığım dünyanın içinde artık Attilâ İlhan yoktu. Başka bir dünya, bambaşka bir gezegendi karşımdaki. Onu şiire dönüştürecek büyük güçten mahrumdu.

Genç kızlara baktım mesela. Ne kadar uçarı, nasıl şiirliydiler. Pek çoğu ömründe hiç şiir okumamıştı, emindim. Kendileri birer şiirdi ama. Gri okul etekleri ve ekim rüzgârının savurduğu saçlarıyla şiirin ta kendisiydiler. En küçük hareketlerinde mısralar dökülüyordu yere.

Ağaçlara baktım sonra. Bir zamanlar dünyanın özsuyunu emip şiire dönüştüren ağaçlara. Sonbaharı iyi kötü kabullenmişlerdi. Yaprakları kızarmaya başlamıştı çoktan.

İçinde Attilâ İlhan olmayan bir dünyaya bakıyordum. Hayatımda ilk defa.

Bu benim için korkunç bir deneyimdi. İlk defa içki içmek ya da bir kadının koynuna ilk kez girmek gibi yabancı bir histi. Sonbahar bile farklılaşmıştı; daha önce gördüklerime benzemiyordu hiç.

Anladım ki ben bu sonbaharın yabancısıydım.

İçinde bana ait hiçbir hüzün, tanıdık tek koku yoktu. İnsanlar uzaydan gelmiş gibi, tuhaf bakıyordu bana. Belki de saçlarımı, üstümü başımı beğenmiyorlardı. Başka bir sonbaharın çocuğuydum belli ki.

＋

Belli ki beni tanımıyorlardı. Ben de onları tanımıyordum. Yabancıydık birbirimize.

İnsanın yabancısı olduğu bir mevsimin içinde kaybolması, yabancı bir şehirde kaybolmaya benzemiyor. Adres soracak aydınlık bir yüz, tanıdık bir iz arıyorsunuz, ama boşuna. Ne haritanız ne de yolunuzu gösterecek bir pusula var. Yaprakları birer birer dökülen ağacın her dalı başka yönü gösteriyor.

Hangisini izleseniz sonunuz bir çıkmaz sokak.

Hele yeni yazılmış bir ayrılık mektubu varsa cebinizde. Kâğıt her değdiğinde etinizi yakıyorsa. Hain bir ayrılık sonbaharı fırsat bilip yuvalanmaya çalışıyorsa yüreğinizde. Gözyaşınızı sizden başka umursayan yoksa.

İçinde Attilâ İlhan olmayan bir dünyaya ilk defa bakıyorsanız. Dünya sonbahara kayıtsız şartsız teslim olmuşsa yani.

O zaman anlarsınız; sonbaharın yabancısı olmanın başka bir mevsime yabancı olmaya benzemediğini. Uzun ve titrek mısralar halinde akıp gittiğini acıların yüreğinizden. Her nefes alışınızda içinize batan cam kırıklarını toplayacak dost bir elin kalmadığını.

Hatta sonbaharın yabancısı olanların bile tanımadığını birbirini.

Birbirlerini fark etmeden, ürkek gölgeler halinde yürüdüklerini kaldırımlardan. Sayılarının hiç de az olmadığını. Çoğunun cebinde dörde katlanmış birer ayrılık mektubu taşıdığını.

Ayrılık mektubu yazmanın ayrılık mektubu almaktan daha zor olduğunu. Terk etmenin de terk edilmek kadar tahrip edebildiğini ruhu. İlk defa terk etmenin, ilk defa terk edilmek gibi derin açtığını yarayı.

İlk defa içinde Attilâ İlhan olmayan bir dünyaya baktım. Sanki cebimde yeni yazılmış bir ayrılık mektubu vardı. İlk defa terk ediyor, ilk defa terk ediliyordum sanki. Aynı anda hem giden birinin arkasından bakıyor hem de arkama bakmamak için kendimi zorluyordum.

Sonbaharın yabancısıydım. Beni bu çok zorluyordu.

Kalmak zor, gitmek ağır, anlamak imkânsızdı artık. Baktığım her şey daha önce görmediğim, koyu bir gölgeyle kaplanmış gibiydi. Kül rengi gökyüzünün altında ağır aksak vapurlar, otobüs bekleyen aile babaları, çene çalan öğrenciler vardı. Ani ölüm hepsini yabancı kılmıştı bana.

Bir kahvede insanlar oturuyordu. Dilleri dilime benzemiyordu. Hiçbir sözcüğü yerine koyamıyordum. Garsondan çay istesem bana dertlerini getirecekti belki. Adres sorsam at yarışı bahislerini anlatacaktı. O kadar yanlış anlayacaktı ki beni, çekip kendimi vurmak isteyecektim.

Attilâ İlhan gibi konuşup onun gibi yazmaya çalışacaktım sonra. Şapkamı onun gibi yana eğecek, fularımı onun gibi atacaktım boynuma.

Hayatımda ilk defa içinde Attilâ İlhan olmayan bir sonbahara baktım. Tek bir rüzgârı ya da tek bir sarı yaprağı tanımıyordum. Sonbahar da benim küçük kalbimden ve yalnızlığımdan habersizdi. Bizi birbirimize anlatan şair gitmişti çünkü.

Bir vapur yanaştı Beşiktaş iskelesine, ona baktım.

Bir liseli kızı ismiyle çağırdı arkadaşları, ona baktım.

Müşteri bekleyen bıçkın taksiciye, salıpazarından dönen teyzelere, duvardaki yırtık afişlere baktım.

O an anladım, aslında Attilâ İlhan'a baktığımı. Vapur da oydu, liseli kız da, bıçkın taksici de... Hepsi şairin ta kendisiydi aslında.

Sonra sisler dağıldı ve tanıdığım sonbahar dönüverdi birden. Her yaprağını ezbere bildiğim bir kitap gibi açılıverdi önüme. Sarılıp öptük birbirimizi yanaklarımızdan.

Cebimdeki ayrılık mektubunu yırtıp denize attım. Madem terk edilmemiştim, terk edemezdim de.

Sevgililer Gecesi

Sevgililer Günü bitti...

Sevgililer gecesi başladı.

Sokak lambaları yandı mesela. Duvarlardaki yırtık afişler araba farlarıyla şöyle bir aydınlandı.

İncecikten yağan kar, gecenin örtüsüne beyaz desenler çizdi. Dünyadaki iyiliğin kolunu kanadını kıran her şey, sevgililer gecesiyle baş edemeyeceğini anlayıp çekildi yeraltına.

Kimse takip etmedi ama. Kimse onları yakalamak için sınır ötesi operasyon düzenlemedi.

Aşklı meşkli laflara tok olanlar izin isteyip kalktı. Zaten sevgililer de istemezdi onların ekşi yüzlerinin geceye limon sıkmasını. "Lütfen..." dendi kendilerine. "Rica ederiz, hiç olur mu? Biz sizi tutmayalım..."

Kendisini çok akıllı zannedenler ayaklandı sonra. Anladılar ki sevgililer gecesinin zekâ gösterilerine tahammülü yok. Ayrıca gece onlara uzaktan ters ters bakıyor.

"Kalkalım bari..." dediler, "burası bize uymadı pek".

Sevgililer gecesi, Kuzguncuk'taki bir parkta başladı.

Törene iki sokak köpeği, yaşlı balıkçı ve romantizmin her çeşidine tövbeli Nimet Teyze katıldı.

Nimet Teyze biliyordu: sevgililer gecesi uzayacaktı. Âşıkların hayatına leke gibi yayılacaktı sonra. Acılar gelecekti derken, aşkın kaçınılmaz finaliyle birlikte kırıcı sözler, ağlamalar gelecekti.

Yaşlı kadının da balıkçının da karnı toktu bunlara. Yan gözle baktılar birbirlerine: halleri yoktu, vazgeçtiler.

Yine de sevgililer gecesi bulunmaz nimetti Nimet Teyze için. O varken yalnızlığın tadını çıkarabilir, eski maceraları hatırlayabilir, kimseye bulaşmadan yorgun düşüp uyuyabilirdi. Kimse bilmiyordu onun geçmişini; kimse merak etmiyordu.

Sevgililer gecesi başladı.

Bitmişti çünkü Sevgililer Günü...

Gün boyu para kazanmış esnaf ılımlı baktı sevgililer gecesine. Hatta "Aşk olsun" dediler. "Bilsek ona da bir şeyler hazırlardık... Ayıp oldu bak..."

Oysa sevgililer gecesinin parayla pulla işi yoktu; zaten gelirken çirkin plastik kalplerin, özel indirimlerin, satıcı bağırışlarının arasından geçmişti. Şimdiden bıkmıştı bunlardan. Yıldızlarını sallaya sallaya yürümek, hiçbir şey alıp satmadan başlamak ve bitmek istiyordu.

Bir yazgısı olduğuna inanıyordu sevgililer gecesi; onu değiştirmek haddimize düşmezdi.

Geceye hazırdı sevgililer; en erotik giysiler seçilmiş, en afrodizyak içkiler ısmarlanmış, iç gıcıklayıcı ne kadar şarkı varsa toplanıp müzik setinin yanına konmuştu. Daha iddialı olanlar gece için fanteziler düşünüyordu. Denenmemiş bir pozisyon, bilinmeyen bir sevişme biçimi, zorlanmamış bir sınır peşindeydiler.

Uzun sürecekti sevgililer gecesi; içinde en masum öpücükten en azgın orjiye kadar her şeye yer vardı.

Ağır adımlarla geliyordu sevgililer gecesi; yanmış kentlerin, bombardımanda ölmüş çocukların, töre cinayetlerinin arasından sıyrıla sıyrıla geliyordu.

Dünya batıya doğru dönerken rastladığı her şey acı vermişti ona. Güneşin altında yalnızca acı, haksızlık ve kıyım vardı. Yıldızların altındaysa şefkat ve mutluluk olmalıydı.

Sonra perdelerini çekti âşıklar, mumlarını üflediler, nazar boncuklarıyla karşıladılar sevgililer gecesini. Biraz önce gitmiş Sevgililer Günü yüzünden hepsi biraz yorgundu. Güneş doğduğundan beri koşturmuş, hediyeler alıp vermiş ve başlarına bu işleri açan Aziz Valentine'e şükranlarını sunmuşlardı.

İstek yağıyordu her taraftan; nöbetçi diskjokeyler yetişmekte zorlanıyor, her aşk şarkısı beş kez çalınıyordu. Sevgililer gecesi yönetime el koyuyor, yasalarını uygulamaya başlıyor, bu tek gecelik devrimden payını almaya çağırıyordu herkesi.

Hepsini elinden tutacak, gündüzki acıların üzerinden aşıracaktı. Güneşin kavurduğu tenlerine merhemler sürecekti sonra. Yedi rüzgârı getirerek yüreklerini serinletecekti âşıkların. Kentin üstüne tül gibi serilip rahatlatacaktı gün ışığında ağrımış gözlerini.

Sevgililer gecesi başlayacaktı.

Sevgililer Günü bitmişti çünkü.

Sonra gece de bitecek, yerini aşkla meşkle işi olmayan zamanlara bırakacaktı. Herkes işine gücüne gidecekti yine. Köşe yazarları başka şeylerden bahsedecek, haberciler başka şeyleri duyuracaktı. Her türlü sevişme rafa kalkacak ve ağırlaşan raf tam kafamıza düşmek üzereyken yeni bir mucize olacaktı:

Dünya Güneş etrafındaki dönüşünü tamamlayacak ve Sevgililer Günü gelecekti yine. Kendi ekseni etrafındaki dönüşünü tamamladığında da sevgililer gecesi.

Her şey Kuzguncuk'taki parkta başlayacaktı bir kez daha; belki Nimet Teyze'yle, belki de artık o olmadan.

Onun Hüzünlü Orospuları

Kaç haftadır düşünüyordum; "Márquez'in *Benim Hüzünlü Orospularım* romanında bizi etkileyen ne?" diye.

Sonunda kardeşim verdi kopyayı: "Çok itici olabilecek bir hikâyeyi gayet sevimli yazmış adam" dedi.

Kardeşimin Yeniköy sırtlarındaki güzel terası, pastel bir sonbahar göğüne açılmıştı o sabah. İnce bir rüzgâr, yaz boyu güneşten kavrulan omuzlarımızı tatlı tatlı okşuyordu. İster istemez hak verdim kendisine.

Çünkü konu zor gerçekten: yüz yaşına yaklaşmış, eli ayağı titreyen bir adamın çocuk yaştaki, bakire bir kıza duyduğu aşkı her yazar anlatamaz.

Yani anlatır da, anlatamaz.

Kızın fahişe olması olayına hiç girmiyorum, müsaadenizle.

Üstelik adam kitapta çirkin ve sevimsiz biri olarak tasvir ediyor kendini. Kızıysa bir ilahe gibi, kutsal ışıklarla sarıp sarmalıyor. Onun el değmemiş teni ve meleksi yüzünü, hüzünlü bir gülümseyişle anlatıyor. Yaşlı adamı ve genç kızı yan yana düşününce bir tuhaf oluyor insan, doğal olarak.

Oysa asıl doğal olan hikâyenin kendisi değil mi? Sonuçta bir kadın ve bir erkek var ortada.

Erkek cinsel duygularını hâlâ kaybetmemiş. Genç kız da bir şekilde başlamış kadınlığını hissetmeye. Durum doğanın kitabına iyi kötü uyuyor yani.

Doğanın kitabına uyuyor da, bir başkasına uymuyor işte: toplumun kitabına. Böyle bir aşka alışkın olmadığımız için hemen yadırgıyoruz. Aradaki yaş ve güzellik farkından ötürü, kadını ve erkeği birbirine yakıştıramıyoruz. Kardeşimin deyimiyle "itici" buluyoruz bu aşkı.

Yani doğa anamızın "Hımm... Bir düşüneyim... Aslında olabilir, evet..." dediğine biz toplum olarak şu cevabı yapıştırıyoruz: "Hayır efendim, ne münasebet!"

Yazar çaktırmadan toplum ile doğanın çeliştiği yeri gösteriyor bize demek ki.

Tıpkı Nabokov'un *Lolita* romanında olduğu gibi.

Hani orada da yarı çocuk yarı ergen bir kız vardı... Hani üvey babası ona âşık oluyordu... Kızın annesi trafik kazasında öldükten sonra adını koyamadığımız, karmaşık bir ilişki başlıyordu aralarında... Hatırladınız mı?

Cevabınız "evet"se, eminim şunu da hatırlarsınız: kitabı okurken başta biraz "şey olsanız" da, sayfalar ilerledikçe konu sizi sarıyordu. Romanı herhangi bir hüzünlü aşk öyküsü gibi okuyup bitiriyordunuz.

Sonuçta bir adam ve bir kadın vardı çünkü burada da. Tüm aşk romanlarında olduğu gibi.

Yaş farkı ne kadar büyük olursa olsun, "doğal" bir şeydi bu. Erkeğin erkekliğinde de, genç kızın kadınlığında da sorun yoktu.

Bütün mesele, bu ilişki toplumun karşısına çıktığı zaman başlıyordu. On beş yaşındaki, fırfırlı etekler giyen Lolita'nın üvey babasıyla sevişmesine hazır değildi kimse.

İnsanlar Lolita'yı belki de asıl bu yüzden "tehlikeli" buluyor, yasaklanmasını istiyorlardı. Toplumdan değil doğadan yana tavır aldığı için. "İtici" bir konuyu kaşla göz arasında bize kabul ettirdiği için. Bunu yapabilecek kadar iyi yazılmış olduğu için.

Okurken "ne var bunda?" derken yakalıyordunuz kendinizi çünkü: "Hepi topu bir aşk hikâyesi..."

Benim Hüzünlü Orospularım da öyle galiba. Hepi topu bir aşk hikâyesi.

Üstelik çok tatlı yazılmış, insanın içini cız ettiren bir aşk hikâyesi. Yaşlı adam genç kızın yanına her gittiğinde biz de onunla beraber heyecanlanıyor, Delgadina'nın uyuyan bedenine bakarak nefesimizi tutuyoruz.

Sırf cinsel açlıkla yola çıkan adamın, hayatında ilk defa âşık olmasını izliyoruz.

Dünyevî aşkın manevî aşka dönüşmesine tanık oluyoruz sonra. Delgadina yaşlı adamın gözünde öyle kutsallaşıyor ki, yaşlı adamın genelev macerası usulca dinî bir masala dönüşüyor.

Sona yaklaşırken, anladığımızı hissediyoruz adamcağızı.

Aşkın yaşa başa bakmadığını, gönüllerin ferman dinlemediğini, kuşun kanadındaki sevdanın aklına eseni yaptığını bir yerlerden hatırlıyoruz çünkü.

Yaşlı gazetecinin iflah olmaz yalnızlığını gözümüz bir yerden ısırıyor.

Onun dudak izleri baskılı donuyla yatağa girip kızın yanına uzanırken ne hissettiğini biliyoruz. Aynadaki görüntüsüne baktığında yaşadığı hayal kırıklığını tahmin edebiliyoruz.

Yorgun kalbinde sürpriz bir aşkla kalakaldığında aynı şaşkınlığı biz de hissediyoruz çünkü. Hayatın bizi yaraladığı ya da gururumuzu kırdığı anlar bir roman gibi geçmeye başlıyor gözümüzün önünden. Yazar elimizden tutup bizi Delgadina'nın odasına götürüyor.

Delgadina'nın odasında bir ayna var. Hani yaşlı adamın bakıp kendisini yorgun bir ata benzettiği...

İşte o aynaya bakıyor ve anlıyoruz, asıl kimin hüzünlü olduğunu.

En Mutlu Son

Kareli kâğıda, inci gibi yazmış: "Kitabınızı iki saatte, soluk soluğa okudum" diyor mektubunda: "Ama sonundan pek bir şey anlamadım."

Uzaktan bakıyorum: bazıları hızlı hızlı okuyor kitapları, sonuna varmak için. Son sürat yaşıyorlar aşkı da. Yaşıyor ve tüketiyorlar. Sevgililerinden ayrılınca bir fast-food restoranından çıkmış gibi hissediyorlardır herhalde; tok ama tatmin olmamış.

Bense yavaşlığımla meşhur olduğumdan, bu hız duygusundan korkuyorum. Çünkü hayat bize sunduğu aşktan başka hiçbir şeye değmiyor.

Sadece öyküyü anlamak ve sırrı çözmek için âşık oluyoruz bazen.

O zaman ağır ağır, tadını çıkara çıkara yazıyoruz öykümüzü; tenimizi ve ruhumuzu kâğıt yerine kullanarak. İstiyoruz ki günün birinde ayrılsak bile gururla hatırladığımız satırlar kalsın geriye.

Her sevişmenin girişi, gelişmesi, sonucu var. Sevgilimizin bizim için neler hazırladığını o kapıdan girene kadar merak ediyoruz. Sevişmek bu yüzden sürükleyici, akıcı bir şey; bir sayfadan öbürüne, soluk soluğa geçildiği için.

Çünkü hiçbir şeye değmiyor hayat, bize sunduğu aşktan başka.

Çünkü sırf öyküyü anlamak için âşık oluyoruz bazen.

Âşık olunca gizli bir elin yazdığı öyküde hissediyoruz kendimizi. Her şey bir yazar tarafından düşünülmüş gibi geliyor. Hissettiklerimiz bilgisayar tuşlarına arka arkaya basan ve yüzü ekranın donuk ışığıyla aydınlanmış o dalgın adamın eseri. Bütün insanları, evleri ve kedileri öykümüzü daha iyi anlatabilmek için yaratmış.

Esas kız biziz şimdi. Esas oğlan biziz.

O kurgunun sonunda bizi neyin beklediği belli değil ama. Bazıları işte bu yüzden nefes nefese çeviriyor sayfaları.

Çünkü onlar öykünün sonunda ne olacağını merak eden okurlar. Bütün öyküyü sonunu öğrenmek için okuyor ve maalesef kaybediyorlar sırrı.

Son sayfaya ulaşmak için o kadar acele ediyorlar ki, yol boyu sıralanmış güzellikler gözlerinden kaçıveriyor. Tabiî öykünün sırrı da kaçıyor bu arada. Bu yüzden ağız tadıyla yaşayamıyorlar aşkı; sonunu merak ederek okudukları için. Sayfalarını yutarcasına çevirip onu son sürat tükettikleri için.

Oysa unutuyorlar; telaşla finiş çizgisine varmak zorunda olduğumuz bir yarış pisti değil aşk. Sindire sindire yol alabileceğimiz ağaçlı bir yol.

Canımız çekerse bir taşın üstüne oturabilir, elimizi sevgilimizin omzuna atıp manzaraya uzun uzun bakabiliriz. Tabiî bu arada öpüşebilir, hatta etrafta kimse yoksa sevişebiliriz bile.

Üstelik aceleye de gerek yok. Çok şükür kimse kronometreyle başımızda dikilmiyor. Yolun sonunda ne olduğunu öğrenmek için koşturmaya zorlamıyor bizi.

Hem ister harikalar diyarı olsun, ister bir bataklık; yolun bittiği yerde ne olduğuyla ilgilenmeyebiliriz. Sevişmenin tadını çıkarmak, kuş seslerini, yaprakların hışırtısını dinlemek daha önemli olabilir.

İster ayrılsın âşıklar, ister düğün yapsınlar; öykünün sonunda ne olduğu o kadar önemli değil aslında. Her güzel cümlenin keyfine varmak, okuduğumuz anlamlı bir sözden sonra pencereden dışarı, yaklaşan sonbahara bakmak dururken.

Peki bizi böyle acele ettiren ne?

Hayatın rüzgârları bugünlerde niye Aşiyan yerine İstanbul Park dolaylarından esiyor?

Oysa Formula arabalarından çok önemli bir farkımız var bizim. Onlar işlerini ne kadar çabuk bitirirlerse o kadar çok puan alıyorlar.

Bizse aşkın ve sevişmenin tadını çıkarabilirsek kazanıyoruz.

Aşkı son sürat tükettiğimiz zaman hayatın sihirli eczası da uçup gidiyor avucumuzdan. Öyküyü anlamadan, sırrına varamadan okuyup bitirmiş oluyoruz.

Mektubunda "Kitabınızı iki saatte okudum, ama sonundan hiçbir şey anlamadım" diyen okuyucunun aradığı yanıt kendi cümlesinin içinde belki de. Sırf sonunu merak ettiği için okuyunca hiçbir öyküyü doğru düzgün anlamıyor ki insan.

Aslında macera filmlerini bile iki kez seyretmek lazım. İlk heyecan yüzünden kaçırdığımız ayrıntıları görebilmek için. Oyuncunun yüzündeki bir ifadeyi, dekordaki bir inceliği, zarif bir jesti...

"Gerçek yolcu sadece gidebilmek için gidendir" diyor, şairlerin en gizemlisi Baudelaire.

Sadece gidebilmek için gitmek... Yolcu olmanın tadını çıkarmak... Dönüp baktığımız zaman "İyi ki yaşamışım lan, aferin bana" diyebileceğimiz aşklardan geçmek yol boyunca...

Ve sonunu merak etmeden yaşamak; aşkı da, kitapları da...

Bütün Arkadaşlarıma

Yıllar önce bir dergide anket yapılmış, ünlü yazarlara "Niye yazıyorsunuz?" diye sormuşlar. Gabriel García Márquez bu bayat soruya, galiba biraz da dalga geçerek şu cevabı vermiş.

"Arkadaşlarım beni daha çok sevsin diye."

Ben de bu yazıyı aynı amaçla kullanmak istedim. Yazımı arkadaşlarım için yazmak istedim.

Arkadaşlar!

Çoğunuz birbirinizi tanımıyorsunuz. Hayatımın farklı dönemlerinde tanıştım sizlerle. Farklı zamanlarda, farklı yerlerde...

Bazılarınızla yıllarca aynı sıraları, aynı sınıfları paylaştım. Birbirimizin ergenlik acılarına, ilk aşklarına, iğrenç sarhoşluklarına tanık olduk. Kız arkadaşlarımla buluşmadan önce sizden temiz gömlek ödünç aldım, ütülü pantolon aldım, borç para aldım.

Sonra lisenin arka bahçesindeki banklara oturup Sarayburnu'na baktık ve uzaktaki ailelerimizi özledik. Soğuk geceleri daha da soğutacak rezil fıkralar anlattık. Hafta sonları evlerinize misafir gittim.

İstanbul'u bana siz öğrettiniz zaten: Bakırköy'ü, Acıbadem'i, Bahariye'yi, Fatih'i falan bu sayede tanıdım.

Annelerinizin yemeklerinin tadı hâlâ damağımda.

Bazılarınızla ilk serseriliklerimi yaptım. Cesaretimizi sınamak için arka sokakları yan yana adımladık. Kızlara laf attık sarhoşken, karanlık gölgelerden beraber kaçtık. Yıldız Parkı'nda ilk sigaramızı içip Cennet Bahçesi'nde memleketi kurtardık, geri gelmeyecek günlerimizi şaşkın bir telaşla savura savura...

Bazılarınızla çok daha eskiden, Eskişehir'deki Porsuk kıyısında karşılaştık. Mesela doğar doğmaz tanıştığım, iki yaş büyüğüm Güçlü Gözaydın... Güzel kardeşim, sen o kadar çok kitap okurdun ki, kitaplara sırf sana hasedimden merak sardım. İşin tuhafı ne zaman karşılaşsak aslan gibi arkadaş olduğumuzu hissediyorum hâlâ. Sanki birazdan okumaktan sıkılıp plastik kılıçlarımızı kuşanacağız.

Ayrıca, hayatta farklı arkadaşlık türleri var.

"Kanka" olayı var mesela. Yani ayrılmaz ikililer... Bence aslında bir tür aşk ilişkisi bu. Benzerine ancak âşıklarda rastlanabilecek bir bağ var aralarında. Sanırım "kanka" olayı için en büyük tehdit de, araya karşı cinsten birinin girmesi oluyor. Yani ikiliden biri bir kıza vuruluyor ve yılların arkadaşlığı göz göre göre çaptan düşmeye başlıyor. Hele iş evliliğe dönüşürse, o zaman hüzünlü bir vedanın yaklaştığını hissediyoruz.

Çünkü "Kankalar"ın "Yengeler"le iyi anlaşması nadir görülen bir şey.

İki düşman kabile onlar.

Düşündüm de, "kanka" diyebileceğim pek kimsem olmamış hayatımda. Yakın arkadaşlarım, yardımına koştuklarım, sırdaşlarım olmuş, ama kanka işini kıvıramamışım. Bazen gereğinden fazla şey bekleyip bunaltmışım karşımdakini, bazen de benden beklenenler zor gelmiş ve kaçmışım.

Benden kanka manka olmaz yani.

Mesafeli yaşanan arkadaşlıkları iyi kötü becerebiliyorum ama.

Vardır öyle insanlar, hayat sizi ne zaman buluştursa kaldığınız yerden devam edersiniz. Geçen zamana direnir gibi. Hatta arkadaşlığınız gücünü bizzat bu eslerden alır.

Belki her zaman sarhoş olup kusmazsınız onlarla. Her zaman yan yana uyumaz, aynı evde sabahlamaz, omzuna yaslanıp salya sümük ağlamazsınız. Yine de beraber geçireceğiniz birkaç saat bile size net bir direnme gücü verir.

Bu gruba genellikle liseden arkadaşlarım ve yaratıcı faaliyetlerle uğraşan dostlar giriyor. Acayip insanlar onlar. Tek cümleyle hayatınızı değiştirebilirler.

Öte yandan, her arkadaşlığın ateşle imtihan edilmesini bekleyemeyiz tabiî. Her tanıdığımız kötü gün dostu olacak diye bir şart yok. Zaten bunlardan bir iki tane var aranızda, altın değerinde olduklarını her gün daha iyi anlıyorum. Ben de birkaçınızın kötü gün dostuyum galiba. Ya da en azından böyle düşünmek hoşuma gidiyor.

Arkadaş olayının en güzel tarafı, onları bizim seçiyor olmamız. Tabiî seçmediğimiz insanlar arasından da iyi arkadaşlar çıkıyor bazen. İnsanın annesiyle, kardeşiyle, dayısının oğluyla falan arkadaş olabilmesi güzel şey.

Biliyor musunuz, *All That Jazz* adlı filmi ben çok severim. Seyretmiş olanlar bilir, filmin kahramanı olan koreograf, ölüm döşeğindeyken bütün eşinin dostunun bir araya geldiği bir gösteri hayal eder. Bazen düşünüyorum, hayatta tanıdığım tüm arkadaşlarımı bir partiye davet etsem ne olurdu diye.

Büyük ihtimalle yarısından çoğu gelmezdi. Gelenler de herhalde çok sıkılırdı. Mahalle arkadaşları ile liseden gelenlerin, iş arkadaşları ile üniversitedeki dostların kaynaşması bazen zor olur çünkü.

O zaman ne yapardım? Belki elime bir gitar alıp herkesi eğlendirecek şarkılar söylerdim. Belki de yazdığım bir şeyi okurdum. Bir pasaj, bir şiir, bir öykü...

İnsanın bu işlerle niye uğraştığı da böylece ortaya çıkıyor, değil mi?

Zaten başta bahsettiğim "Niye yazıyorsunuz?" sorusuna Samuel Beckett bana korkarım daha çok uyan bir cevap vermiş:

"Başka bir halta yaramadığım için."

İzmirli Kızlardan Çektiğim

İtiraf edeyim; İzmirli kızlarla ilgili düşüncelerimin bu kadar ciddi bir tartışmanın konusu olabileceğini hiç tahmin etmemiştim.

Özetle, şöyle gelişti: aylık bir dergiye verdiğim röportaj sırasında söz kadın-erkek ilişkilerine gelmiş, ben de söz konusu ilişkilerin sağlıklı gelişmemiş olmasının yaşadığımız en büyük toplumsal dramlardan biri olduğunu söylemiştim. Yani kadın-erkek ilişkileri "normal" değildi ülkemizde.

Çeşitli toplumsal baskılar ve törelerden dolayı bu ilişkiler anormalleşmiş, bu da hepimizi etkileyen bazı toplum hastalıklarına yol açmıştı.

En iyisi dergide çıkan şekliyle yazayım, tam olsun:

"İzmir kızlarının güzel olduklarını zannetmemizin nedeni, İzmir'deki kadın-erkek ilişkilerinin Türkiye geneline göre daha normal olmasıdır. Yani İzmir kızları iletişim kurmasını bildiklerinden bize fiziksel olarak daha güzel görünürler."

Hâlâ arkasındayım sözlerimin: İzmir'de kadınların kadınlıklarını özgürce yaşamasının, onların güzelliğine ciddi katkı sağladığını düşünürüm çünkü.

Bir kadını güzel kılan en önemli unsurlardan biri, kadınlığını doya doya yaşayabiliyor olmasıdır. Yoksa Doğu Anadolu sokaklarında da nefes kesen gözler çıkar bazen karşınıza. Ama siz ne olduğunu anlayamadan gölgelerin içinde yitip gider hep. Çünkü kadınlığıyla arasına dinin, törelerin ve yazgının kalın duvarları girmiştir o gözlerin.

Kadın olarak doğduğu için ölene dek özür dilemeye mahkûm edilmiştir.

Haftalar sonra, İzmirli bir arkadaşımın yolladığı mesajda şu ya-zıyordu:

"Burada herkes senden bahsediyor haberin olsun. İzmirli kız-lar sana çok kızgın. 'Biz güzelliğimize laf söyletmeyiz!' diyorlar!"

Ne yalan söyleyeyim, şaşırdım bu duruma. Çünkü asıl tepkiyi (illa bir tepki gelecekse) Türkiye'nin İzmir dışındaki kısmından bekliyordum ben. İzmir hakkında söylediklerimde aslında Türki-ye'nin genelini eleştiren, yaşama biçimimizi topyekûn iğneleyen bir şeyler olduğunu ummuştum.

Yani İzmir'e iltifat ettiğimi sanıyordum aslında. Meğer tam ter-sini yapmışım. Neyse.

Yeni Asır gazetesi işin peşini bırakmamış ve konuyu İzmirlile-rin görüşlerine açmış. Gazetenin internet sitesine yansıyan gö-rüşleri tek tek okudum: genel olarak benim yanıldığımı, İzmir'i yeterince tanımadığımı ya da "dilimin sürçtüğünü" savunan dost-larımızla karşı karşıyaydık. Tabiî hak verenler de var.

Ben bu düşünce fırtınasının karşısında ters dönen şemsiyemi düzeltmeye çalışırken, Hıncal Uluç'un *Sabah*'taki yazısı imdadı-ma yetişti. Uluç son derece olgun bir edayla, iki bakış açısını (be-nimkini ve karşı görüşü) uzlaştırmayı deniyordu:

"İzmir kızları, güzelliklerini sergilemekte alabildiğine özgür, Kiremitçi'nin dediği gibi iletişim kurmakta alabildiğine rahat ye-tiştikleri için fark attılar aslında. Böyle yetiştikleri için, hem fizik-leriyle hemen göze çarptılar, hem ruhlarıyla erkekleri çok kolay etkilediler..."

Bana karşı Hıncal Uluç kadar şefkatli olmayanlar da vardı ta-biî, mesela Sevinç İşbitiren, *Akşam* gazetesindeki yazısında, da-ha sert bir ses tonuyla şunları söylemişti:

"Sayın Kiremitçi acaba güzellik yarışmalarında birinciliği teke-line almış bir şehrin kızları hakkında nasıl böyle bir yargıya vara-biliyor? Buradan güzellik yarışmasında birinci olmuş kızlarımı-zın adını yazmaya kalksak bu köşe, ilk üçe girenleri yazmaya kalksak bölge ekimizin sayfaları yetmez."

Okurken "Ama Sevinç Hanım" demek geliyor içimden. İzmir'in yarışmalardaki başarısını ya da kızlarındaki cazibeyi tartışmıyorum ki ben. Bir romancı olarak yapmak istediğim, bunun gerisinde hangi yaşanmışlıkların yattığını anlamak. Mesela İzmirli oyunculardan Nehir Erdoğan'ın Akdeniz güzelliğinin tam bir simgesi olduğunu ben de görüyor ve kabul ediyorum. Anlamakta zorlandığım şeyse şu: bir güzelliğin arkasında nasıl bir topografik mirasın yattığını merak etmek neden kusur sayılsın?

Hıncal Uluç'un Türk şiirinin önemli isimlerinden Cahit Külebi'nin "İzmir'in denizi kız, kızı deniz, sokakları hem kız hem deniz kokar!.." diyen dizeleriyle başladığı yazısını okurken, şöyle düşündüm: belki de her şey, kullandığım bir kelime yüzünden olmuştu. Eğer kafayı kullanıp söze "İzmirli kızları güzel zannetmemizin nedeni..." diye değil de mesela "İzmirli kızların bizi bu kadar etkilemesinin nedeni..." diye başlamış olsaydım kimse alınmayacak, bu tartışma da yapılmayacaktı.

Tabiî o zaman ben de nisan başlarında İzmirli kızlar arasında bu kadar popüler olamayacaktım.

Ne yapalım, hayat böyle işte.

İki Yalnızlık

İnsanın yeryüzündeki macerası, ne kadar yalnız olduğunu keşfetmesiyle başlamış belki de.

Sanki atalarımızdan biri mağarasının yakınındaki tepeye tırmanıp etrafa bakmış ve birden pek küçük, pek önemsiz hissetmiş kendini.

Her şeyin dokunamayacağı kadar uzak, tırmanamayacağı kadar yüksek, uzanamayacağı kadar derin, dövüşemeyeceği kadar güçlü olduğu bir dünya bulmuş karşısında...

Manzarayı seyrederken yalnızlığının farkına varmış.

Tepeden indikten sonraki halini hayal etmeye çalışıyorum. Belki mağarasına döndü ve dalgın dalgın düşündü. Zavallının aklında mesafeler ve oranlar birbirine karıştı. Çocukken her şeyin kendisine daha yakın ve tanıdık göründüğünü hatırladı. Hatta "İnsan büyüdükçe küçülüyor bu dünyada" dedi belki de, dünyanın ilk kötü şiirini yazdığını bilmeden.

Peki sonra ne yaptı? Mesela o tuhaf duygudan kurtulmak için karısıyla sevişti mi? Yoksa her gün o tepeye gide gele, yalnızlık hakkında düşüne düşüne şimdi unutulmuş bir dinin peygamberi mi oldu? Bilemiyoruz.

Bildiğimiz tek şey, onun yalnızlığın iki halini sırayla yaşamış olduğu. Yani "gönüllü" yalnızlığı ve "mecburî" yalnızlığı.

Onu tepeye tırmanırken düşünelim. Çamura bata çıka, elleri taşlara sürtünüp kanaya kanaya, daha önce yapmadığı bir şeyi yapmaya çalışıyor. Allah bilir, bu işe kalkışmadan mağarasından tepeye günlerce bakmıştır. Büyük ihtimalle onun hakkında uzun uzun düşünmüş, tırmanmanın ne kadar harika ve korkunç olacağını kestirmeye çalışmıştır.

Hava ısınmadan zirveye varmak istiyor. Sabahın derin sessizliği içinde, tepe ve o baş başa. Etrafta başka kimse yok. Adamımız yalnız olmanın tadını çıkarıyor. Elleri, ayakları, toz içindeki sakalları, bedeni ve ruhuyla yalnız.

Üstelik bu tırmanışta kadere karşı koyan bir şeyler var. Tepe onun karşısında ilahî bir engel, doğuştan gelen bir duvar gibi çünkü. Adamımıza kendisini iyi hissettiren bir şey daha: aşağı baktığında, yola çıktığı noktayı görebiliyor.

Sevgili mağarası aşağıda... Baharda ektiği tohumlar şimdiden yeşermiş... Birazdan uyanıp ateşi canlandıracak kadın. Yani tepenin yalnızlığından istediği zaman çıkabilir adam. Yalnızlığın bu kadar kırılgan olması, onu hoş ve istenir hale getiriyor.

O, kendi istediği için yalnız. İstediği zaman vazgeçebilir yalnızlıktan.

Vazgeçene kadar da kafa dinleyebilir, kendisini tanıyabilir, hayatı yeni gözlerle görmeyi öğrenebilir.

Ama tepeye çıkıp ufka baktığında, işler değişmeye başlıyor.

Buradaki yalnızlık biraz farklı. Uzak bir gökyüzünün, düşman bulutların, yabancı canlıların dünyasında olmanın getirdiği bir şey. Daha boğucu, en ufak bir şakası ya da romantizmi olmayan, öldürücü bir yalnızlık.

Öyle pis bir duygu ki, sevişmek ya da savaşmakla geçecek gibi değil. İnsanın içini oyup yerleştirmişler sanki. Öyle sancılı bir şey.

Adamımızın henüz ifade edecek kadar çok kelimesi, yazacak kâğıdı, çıkış alacak printer'ı yok, ama kalbinin derinliklerinde biliyor; onun iç dünyasına ait bir şey değil bu. Tam tersine, dış dünyada yetişip üzerine saldıran, daha vahşi bir tür.

Elinizi uzatıyorsunuz, ama dokunacak kimse yok.

Onu yaşarken umutsuzluğa kapılabilir, dünyaya küsebilir, hatta canına bile kıyabilir insan.

Bizim kalabalık çağımızda da yalnızlığın bu iki türü birlikte nefes almaya devam ediyor. Tabiî milyonlarca kişilik şehirlerde, her duygu gibi onlar da başka boyutlar kazanabiliyor. O ilkel insana yaşattıkları çelişki şimdiki hayatlarımıza çok daha farklı yansıyor.

Çünkü hem yalnızlık arıyoruz biz hem de öcü gibi korkuyoruz yalnızlıktan.

İstiyoruz ki yalnızlık mağaramız olsun. İçeri kimse girmesin. Biz dışarı çıkabilelim ama.

Hatta mümkünse yakınlarda başkaları da olsun. Çağırınca gelecek, yardımımıza koşacak sevgililer, kötü gün dostları... Biz de bu evcil yalnızlığı tatlı tatlı yaşayalım.

Özellikle yaratıcılar, zihin emeğiyle geçinenler için ideal bir formül. Günlerce tek başına bir heykeli yonttuktan ya da bir romanı tamamladıktan sonra güzel bir partiye ne dersiniz?

Tıpkı binlerce yıl önceki ilkel adam gibi biz de tepenin eteklerinde durup bütün duygularımızı uyuşturan o yalnızlık korkusunu hissediyoruz. Kitaplar bu yüzden yazılıyor aslında, filmler, oyunlar, resimler...

Hepsi de "mecburî yalnızlığı", "gönüllü yalnızlığa" çevirebilmek için.

Ama sanırım kendi içimizdeki tepeye tırmanacak cesaretimiz varsa geçerli bunlar. Yoksa yalnızlığın üçüncü türü bekliyor bizi. Ne mecburî, ne de gönüllü: Çoğu zaman farkında bile olmadığımız bir yalnızlığı yaşayıp, gidiyoruz.

Galiba en fenası da o.

Eskimek Güzeldir

Enver Ercan'ın *Geçtiği Her Şeyi Öpüyor Zaman* adlı kitabını şiirseverler bilirler, severler, bağırlarına basarlar. Bu kitap ne kadar güzel olsa da bir gerçeği değiştirmez ne yazık ki.

Aslında geçtiği her şeyi üzmektedir zaman.

Çocukları üzmektedir mesela; zaman yüzünden en sevdikleri pantolonları kısalmakta, oyuncakları eskimekte, tatilleri bitivermektedir.

Sonra anneleri üzer, çocuklarını büyütüp uzaklara gönderdiği için.

Dedeleri üzer, kum saatini hızla boşalttığı için.

Hepimizin kalbini dağlayan, dünyanın eskime hızıdır. Daha doğrusu, ait olduğumuz dünyanın eskime hızı.

Bir gün gelecek ve tanıdığımız hiçbir şey kalmayacak dünyada. Cemal Süreya'nın deyimiyle, "başkalarının dünyası"nda yaşamaya başlayacağız o zaman. Tanımadığımız kadınların, erkeklerin, kedilerin, ağaçların dünyasında.

Başlarına çalsınlar. Ne yapalım biz öyle dünyayı?

Ölümsüzlük düşüncesi cazibesini kaybediyor bu gerçek karşısında; kendimi iki yüzyıl sonraki insanların dünyasında eski model bir araba gibi dolaşırken hayal edemiyorum.

İskoçyalı filmindeki kahraman gibi, yeniden ölümlü olmanın yolunu arardım herhalde. Arar ve bulamazdım.

Sonuçta dünyanın bir eskime hızı var. Bunu düşünmeden ölümsüzlük hesapları yaparsak, sonumuz gül parmaklı Şafak Tanrıçası Eos gibi olabilir. Hani sevgilisinin de kendisi gibi ölümsüz olmasını dileyen Eos gibi. Adamın yaşlanmasını önlemeyi unutunca onun bir hortlağa dönüşmesini üzülerek izleyen, en sonunda da kaçıp giden şaşkın Eos gibi.

Ama bir zamanlar bu kadar hızlı eskimiyordu dünya.

Dolapların, bakraçların, sinilerin üzeri bu kadar hızlı toz tutmuyordu. Giysilerin modası bu kadar hızlı geçmiyordu. Uzun süren aşklara kimse şaşırmıyor, bir hüzzam şarkı onlarca yıl önleyebiliyordu gönül telimizin pas tutmasını.

Oysa geçenlerde müzisyen bir arkadaşım isyan ediyordu. Yeni çıkan bir enstrümanı aldığında onun bir üst modelinin aslında çoktan yapılmış olduğunu biliyormuş. Bu da tüketim toplumunun varabileceği en ilginç noktalardan biri aslında; bir malın daha siz onu almadan eskimiş olması.

Ne demiş ak sakallı Karl Marx: "Katı olan her şey buharlaşıyor."

Yani zamanın serseri kurşunu en sağlam görünen şeyleri bile vurabiliyor. Hatta Marx'ın bizzat kendisi bile çok çekti bundan. Marksizm'i en katı biçimiyle uygulayan sistemler birden buharlaşıverdiler.

Marshall Berman'sa aslen New Yorklu bir mimar. Bu konuyu işleyen kitabında işaret ettiği gibi, modern kentler eskime hızının örnekleriyle dolu: mahallemizin vazgeçilmez simalarından olan eskicilerin alıp sattıklarına bakın; plastik leğenler yerlerini teknoloji harikası fırınlara, kolu yamalı ceketler dijital saatlere bırakıverdi.

Eskimiş bir dijital saatten daha hüzünlü ne var?

Hani uçuk çizgi romancıların yarattığı fantastik dünyalar vardır; binlerce yıl sonranın külüstür robotları, toza toprağa bulanmış organik bilgisayarları tuhaf bir duygu uyandırır insanda. Çok sonraki bir yüzyılda karşılaştığımız bu hurda teknoloji, zamanla ilgili algımızı altüst eder. Anlarız ki en gelişkin teknoloji için bile mümkün değildir kaçmak "eskime hızı" denen şeyden.

Ben bu yazıyı yazıyorum ve külüstür dizüstü bilgisayarım biraz daha eskiyor. Harflerinin bir kısmı silindi çoktan; ancak tornavida yardımıyla açılabiliyor. Çalışırken kamyon gibi sesler çıkarıyor sonra. Ama kendimi onunla rahat hissediyorum işte; romanımı da onunla yazmışım, babamın ölüm ilanını da.

Bu yüzden bastırıp parayı "bir üst modelini" almak gelmiyor içimden şimdilik.

Çünkü eskimenin getirdiği güzel şeyler de var; biz onlara "yaşanmışlık" diyoruz.

Çizgi romanlardaki robotlar üzerlerindeki toz sayesinde klişe olmaktan çıkıp gerçekçi karakterlere dönüşüyorlar. Külüstür dijital saatin verdiği hüzün onu insancıl kılıyor. El arabalarını iterek geçen eskicilerde bile geçmiş günlerden kalma bir sıcaklık, insanoğluna özgü bir duygu var.

Eskimek güzel şey aslında.

Bizi kusursuz taş bebekler ya da gıcır gıcır vitrin mankenleri olmaktan kurtarıp insana dönüştürüyor.

Gözlerimizin altındaki birkaç çizgi, saçımızdaki birkaç beyaz tel, avucumuzdaki küçük bir yara izi... Onlar sayesinde anlıyoruz zamanın altın tozuna bulandığımızı.

Yoksa ne yaşadıklarımızın tadına varmak gelecek belki de elimizden, ne de yaşayacaklarımız gerçekten bir anlam taşıyacak.

Her şeyi öperek ilerleyen zamanın bizi de öpmesine izin vermezsek, onun bizi üzen yüzüyle karşılaşacağız belki. Zamanla barışık kalmak zorlaşacak.

Ayrıca, en güzel kadınlar otuz yaşını geçenler arasından çıkıyor hep.

Kim ne derse desin.

AŞK Neyin Kısaltması?

Allah'ın Şaşkınları Kulübü

Âşık olduğum zaman şaşkın ve aptal hissediyorum. Bunu başkası söylese canım sıkılır, ama konu aşk olunca şaşkınlığım üzmüyor beni.

Kalbimde bir çarpıntı başlıyor, elimi kolumu nereye koyacağımı bilemiyorum. Sözcüklerle aram genelde iyi olmasına rağmen her söz yersiz geliyor bana.

Dünyaya bakışımın değiştiğini hissediyorum. Aklım gazete okurken bile tuhaf çalışmaya başlıyor. Siyaset haberleriyle magazin sayfalarına, felsefe yazılarıyla Güzin Abla köşesine aynı ilgiyle bakarken yakalıyorum kendimi. Bu da şaşkınlığımı biraz daha artırıyor ve gülmek geliyor içimden. Kahkahalar ata ata gülmek.

Dünyanın karanlığını örtmek isteyen kahkahalar. Aşkın getirdiği şaşkınlığın kahkahaları. Bir patladı mı kulübümüzün duvarlarında sonsuza kadar yankılanacak kahkahalar.

Arabesk şairler krallığı

Aşkın içimdeki şairi uyandırdığı doğru. Ama bir uyandı mı öyle çok saçmalıyor ki o şair, yeniden uyutana kadar akla karayı seçiyorum.

Durduk yerde kafiyeli sözler söyletiyor insana. Hece vezniyle şiirler yazdırıyor. Sonra yavaş yavaş hayata şiirin tül örtüsünün ardından baktığımı fark ediyorum.

Başka zaman olsa içime baygınlık verecek çiçekli böcekli şiirler, en acılı şarkılara karışarak günlerimi işgal ediyor. Okuduğum şiir ne kadar arabesse, içimde uyandırdığı zevk de o kadar büyük oluyor.

Hatta kendim de yazmaya başlıyorum o şiirlerden.

Parmaklarımla hece sayıyor, kalemin arkasını dişleyerek ciddi ciddi kafiye düşünüyorum. Artık sevgilinin adına yazılmış akrostişler mi istersiniz, sakız manisi tadında şiir kırıntıları mı... Rezilliğin bini bir para!

Alaturka şarkılar korosu

İstanbul dışında hiç âşık olmadım. Herhalde bu yüzden sahici aşklar, ancak İstanbul'da başlarmış gibi geliyor bana.

Arka planda mutlaka Boğaz görünecek. Aşıboyalı bir ev geçmiş günlerin dalgınlığıyla tatlı tatlı gülümseyecek. Tek başımızayken bize yüz vermeyen vapurlar, önümüzden düdüklerini çalıp selamlayarak geçecek.

Tahtakale'de pazarlık yapan delikanlılar, Laleli'de cep telefonuyla konuşan Rus kızlar, Yeniköy'deki köhne bir konağın penceresinde belki de hiç gelmeyecek evladını bekleyen o yaşlı teyze tanıklık edecek aşkımıza.

Sevgilimiz her göründüğünde, uzaklardan bir fasıl duyulacak. Sonra yavaş yavaş yaklaşacak o fasıl. Ut ile kanun birbirine karışır, varlığımızı ipince bir sultaniyegâh doldururken, konağın ahşabından gönlümüze doğru bir sarmaşık uzanacak.

Aşkı şehvetle karıştıranlar

Bu konuda masum olduğumu söyleyemem. Aşkın kendisi şehvetle karışmaya o kadar teşne ki, benim özel bir şey yapmama gerek kalmıyor. Sevgililerin uzaktan bakıştığı, birbirlerine dokunmaya utandıkları temiz aşklar var mıydı gerçekten, ondan bile emin değilim.

Hem aşkın kirli olanı daha makbul.

Toprakta koşmuş bir genç kızın ayaklarının altı gibi pis ve sınırsız olmalı. Temizliği deterjan reklamlarına bırakmış, hayatın çamuruyla yoğrulmaya hazır...

Aşkın nerede bittiğini, şehvetin nerede başladığını asla bilememeli insan. En ummadığı anda şehvete dönüşmeli, duyguları ve tenler ile kokuların birbirine karıştığı o inanılmaz girdapta ruhu yitip gitmeli.

Akşamı şarapla karşılamak

Kırmızı şarap. Radyoda cızırtılı bir keman. Önce yanaklarımızı, sonra da akşamı pembeleştiren bahar sarhoşluğunun bizi birbirimize iten suçlu meltemi.

Sevgilinin tenine o meltemle biraz daha yaklaşmak. Onun bizi mahsusçuktan iter gibi yapması. Bizim küsmüş gibi yapmamız. Bütün bu hileli davranışların, çocuksu oyunların altında yatıp geceye asıl anlamını veren vanilya, çilek, hindistancevizi kokuları.

Kokuların egemenliğine giren ruhumuzun, tek bir nefes için her şeyi göze almış olması. Akşamın ve şarabın sevgilimizin teniyle karışarak bağımlılığa dönüşmesi.

Akşamın geceye, şarabın sarhoşluğa, aşkın iki bedeni sabaha kadar savuracak bir fırtınaya akması. Şarapla karşıladığımız her akşamın, veda ederken ruhumuzdan bir anı koparması.

Kimi zaman bir dokunuş; sonsuza doğru kıvrılan bir saç telinin bölük pörçük görüntüsü ya da.

Kış Duygusu

Şehre girdiğin kapıda sana ipince bir yağmur eşlik etsin. Otobüsteysen şoförün durmadan çalıştırdığı silecekler getirmiş olsun uykunu.

Yok trene bindiysen, kendini onun raylar üzerindeki ritmine bırakmış ol. Ne kadar canlı ve neşeli olsa da, o da insanın uykusunu getirir.

Yolculuk güzel bir yalnızlıktır. Sadece sana ait olan, kimsenin elinden alamayacağı bir zaman parçası.

Merak etme.

Şehre senden önce gelmiş kışı hissedeceksin. Onun sokaklara ve meydanlara, kubbelere ve çatılara nasıl sade bir telaşla yayıldığını... Bunu daha önce binlerce kez yapmış olmasına rağmen işini nasıl sıkı tuttuğunu... Yaz aylarının izlerini silmek için nasıl sabırsızlandığını...

O da senin gibi yol yorgunu olacak biraz. Arkanızda başka şehirler, başka yollar, bambaşka duygular bırakmış olacaksınız.

Beyaz pelerinini şöyle bir salladı mı örtmediği şey kalmasın isteyecek kış.

En çok yazlık mekânların kış eşiğindeki hali dokunacak sana. Havuzları boşalmış, fıskiyeleri çalışmayan parklarda yürüyeceksin. Ahşap masaları örtüsüz, tenteleri toplanmış çay bahçelerinde oturacaksın. Uzaktan, ıssız çocuk bahçelerinden yükselen ıslak toprak kokusunu çekeceksin içine. Çocukların yaz boyu sallandığı salıncakları, sert rüzgâr ittiriyor olacak.

Ne önlüklere, ne çantalarına, ne de yeni defterlere henüz alışabilmiş öğrenciler geçecek önünden. Yakaları temiz, düğmeleri tamam olacak. Sonra yeni kışlıklarını giymenin heyecanıyla genç kızlar. O kışlıklar ki ne kadar zaman sabırsızlıkla saklandılar. Onları alan kızlar havaların soğumasını nasıl da bekledi.

İyi bak: omuzlarını ve dizlerini gelecek yaza kadar göremeyeceksin onların.

Şehri usul bir "kış duygusu" kaplamış olacak. Gözkapaklarını ağırlaştıran bir duygu. Kollarını uyuşturan, nabzını kendisine göre ayarlayan... Şehrin duvarına afiş yapıştıran da, belediye otobüsünü süren de, stadyumunda maç seyreden de bu duygudan nasibini almış olacak.

Kış duygusu, bir tatlı yalnızlık demek. Hüzünlenmenin zevki, sessizliğin melodisi demek. Kış duygusu, kalın bir Rus romanına başlamadan içilmiş bir fincan kahve demek. Kış duygusu, gece vakti sevdiğimizin üstünü örtmek demek.

Sen de bu duyguya yenileceksin.

Yenile yenile sevmesini öğreneceksin. Biraz daha insan hissedeceksin kendini.

Kışa dair ne kadar anı varsa canlanacak. Siyah beyaz televizyonda seyredilmiş yılbaşı özel eğlence programı gibi anılar: hem renksiz hem de çılgınlar gibi ışıltılı. Hem puslu hem de her çocukluk anısı gibi net. Sonra diğer anılar da gelecek tabiî:

Batan ilk boğazlı kazağının tenindeki anısı.

Tatlı bir kış meyvesinin damağındaki anısı.

Kızgın sobaya dokunmuş olmanın parmaklarındaki anısı.

Sınıf arkadaşının kokusunun burnundaki anısı.

Ama asıl kış duygusu, göğe baktığın zaman. Onun renk değiştirdiğini göreceksin. Mavisi başka mavi, beyazı başka beyaz. Kuşsuz ve ıssız kalmış bir çocuk bahçesine dönüşecek o da.

Sen o göğün altında yürümeye ve anlamaya devam edeceksin. Hiçbir şey birkaç hafta önceki gibi olmayacak artık. Soğukla beraber başlayan ince bir sızı, eklem yerlerine sokulacak.

Yaz aylarının yarattığı rüya bitmiş olacak. Onun yerine kış ve onun gerçekçiliğini göreceksin.

Kışın gerçekleri:

1- Aslında herkes yalnızdır. Bu durum, bazı şartlar dahilinde somut olarak ortaya çıkar. Mesela kış gibi.

2- Herkes hüzünlenebilir. Bazıları bunu saklamayı daha güzel becerir. Bazı durumlarda ise onlar bile zorlanabilirler. Mesela kış gibi.

3- Herkes üşüyebilir. Kaç kat zırh kuşanmış da olsak, bazen masum görünen bir ses, koku ya da dokunuş iliklerimize işleyip bizi üşütebilir.

4- Herkes yanılabilir. Yaz ayları gözlerimizi kamaştırdığı için yanlış insana gönül vermiş, yanlış şarkıyı dinlemiş, yanlış kitabı okumuş olabiliriz. Kış ayları, bu tür hataların telafisi için her bakımdan uygundur.

Uzun yolculuklardan dönmüş olacaksın. Bavulunda eski mevsimlerden hediyelik eşyalar...

Şehre girerken saçlarında deniz kokusu olacak belki. Seni şehrin kapısında kış duygusu karşılayacak. Çocukluğun serin sabahlarından fırlayıp gelen bir düş.

Sakın şaşırma.

Bir Bavulu Hazırlarken

Sabahın ikisi... Bir taraftan yazıyor, bir taraftan da bavul hazırlıyorum.

İçimde her yolculuktan önce beliren saçma bir hüzün.

Yatılı okulun ilk gününden beri bavulların hayatımda vazgeçilmez yeri var. Güneşli bir eylül günü Mektebi Sultani'nin büyük kapısından babamla girdiğimde, annemin nemli gözlerle kapattığı o ilk bavulun sapından tutuyordum. İçinde birkaç temiz çamaşır, Fransızca ders kitapları ve bazı umutlar vardı.

O bavulun hazırlandığı süre içinde resmen bir ufağı bitirmişti babam.

Sonra Mavi Tren caz davulcularını kıskandıracak ritimler eşliğinde İstanbul'a giderken başımızın üstündeki rafta uslu uslu durmuş, İstanbul'a yaklaştıkça büyüyen hayallerimize tanıklık etmişti.

Kahverengi deriden, sağlam bir bavuldu. Babam onu kendisi için satın alıp sonra yıllarca bir köşede unutmuştu. Yüklüğün arkalarında bir yerde, büyüyüp okumak için uzaklara gideceğim günü beklemişti.

Zaten bavullar sabırlı eşyalardır: sıranın kendilerine er geç geleceğini iyi bilir ve beklerler.

Bazen kederli sahnelerde çıkarlar sahneye.

Mesela kadın öfkeyle odaya girip bavulu yatağın üstünde açar. Dolaptan çıkardıklarını onun içine dolduracak, o doldukça da iki kalp birbirinden yavaş yavaş uzaklaşacaktır.

Bu sahneyi elimizden geldiği kadar dramatize etmek, hatta odaya girecek hüzünlü bir erkeğin yardımıyla kedere boğmak mümkün. Bavul yatağın üstünde durduğu sürece can yakan sözler havada uçuşacak, aşk ile nefret arasındaki bir zaman dilimi içimizi kavuracak.

Peki neler var o bavulun içinde?

Terk edenin yalnızlığı var bir kere. Onun anlatamamış olduğu şeyler, o güne kadar sabırla büyütülmüş bir hüzün var.

Aşkların bitmesi bazen düşünürlerin niceliğin niteliğe dönüşmesi ilkesini daha iyi anlayalım diye verdikleri basit örneğe benziyor: su nasıl ancak yüz dereceye vardığı zaman geri dönüşsüz bir şekilde nitelik değiştiriyorsa, aşk da bir sınırı geçtiği zaman bitiveriyor.

Önemsiz bir tartışma ya da anlamsız bir söz bile bardağı taşırmaya yetiyor. Yeniden su haline getirip o çaydanlığa sokmak mümkün olmuyor buharı.

Aşkın bitişi, terk ediliş ve pişmanlık... Bunların üçünü de yaşadım. Hepsinde de bana eşlik eden bavullar vardı.

Bazıları yatakhanedeki yatağımın altında saklanıp memlekete gideceğim günü beklediler. Bazıları Paris'te kalp ağrısıyla dolaşırken peşimden sürüklendiler.

Beni ben yapan o ışık ve karanlık içlerinden eksik olmadı asla.

Ama hep istedim ki ben öyle üzgün üzgün yürürken içlerinden biri dile gelsin ve sorsun, nereden gelip nereye gittiğimi. Tren garlarında üstüne oturduğum, otel odalarındaki yalnızlığıma eşlik eden bavullardan biri hayatımın anlamı hakkında bir fikir yürütsün.

Olmadı ama.

İçleri benle doldukça benden uzaklaşmaya, yabancılaşmaya başladı bavullar.

Bir bavul ilk satın alındığı zaman bir yabancı. İçinde derin, dünyanın merkezine inen bir boşluk var. Bütün olasılıklara açık bir kapı gibi, en küçük rüzgârda sallanıp duruyor. Kazakla, diş fırçasıyla falan dolmuyor asla.

Ama bavul bizimle birlikte gezdikçe o boşluğu yitirdiğimizi fark ediyoruz. Gözyaşımız ve terimiz uzun yol gecelerinden süzülerek o boşluğu dolduruyor. Kendimizle tıka basa dolu bir bavul olup çıkıyor sonunda. Derisi bizimki gibi kırışıyor, kilidi bizimki gibi zor açılıyor.

Bir şehri bırakıp giderken yanımızda onu götürmek ağır geliyor bize. Biz de onu bırakıp yeni bir bavul alıyoruz.

Korkularımızın da böylece geride kaldığına inanarak.

Aslında insan nasıl arkadaşını en iyi uzun yolda tanırsa, kendimizi tanımayı da bir bavulun peşinde dolaşırken deneyebiliriz. O bavulu hazırlarken hissettiklerimize bakıp kalbimizi anlamaya çalışabiliriz.

Çünkü bavul açıldığı anda uzaklaşmaya başlıyoruz evimizden. Yatağın üstünde duran açık bir bavul, odanın havasını bir anda değiştiriyor. Her şey farklı görünüyor bize. Işık biraz daha sararmış, gölgeler biraz daha koyulmuş oluyor. Ortasında açık bir bavulun durduğu oda artık bize ait olmayan, tarafsız bir bölge.

Hem ayrılıklara hem de kavuşmalara sınır komşusu.

Yıllar önce, baba evine döndüğüm bir tatil sabahı, koca bavulumla Ankara sokaklarında dolaştım durdum. Annemle babam ben okuldayken yeni bir eve taşınmışlardı. Kırk kere söylemelerine rağmen adres çıkıvermişti aklımdan.

Polenlerin şaşkın şaşkın uçuştuğu, temiz bir bahar günü başlangıcıydı. Yıllardır yaşadığımız şehirde evsiz bir yabancı gibi, bavulumu sürükleyerek yürüyordum. Derken kilitleri iyice bozulmuş olan bavul caddenin ortasında açılıverdi. Kirli çamaşırlarım işe gitmek için otobüs bekleyen Ankaralıların gözleri önüne serildi.

Bavulun bu ihaneti o kadar gücüme gitti ki, arkama bile bakmadan kaçtım oradan. Saatler sonra baba evini bulduğumda artık ne bavulum ne de bir geçmişim vardı. Sanki ailemden uzakta geçirdiğim onca yılı da bavulla birlikte sokağın ortasında terk etmiş, yıllar önceki ufaklık olarak çıkmıştım karşılarına.

Tabiî babam çok kızdı, hemen gidilip söz konusu caddeye bakıldı, ama ne bavul ne de içindekiler bulunamadı.

Zaten dertlerine derman ararken uzaklara gidenler için bilge kişinin söylediğini çoğumuz biliriz: "Çare bulamazlar, çünkü kendilerini de götürmüşlerdir."

Nerede götürmüşlerdir peki kendilerini? Bavullarının içinde olmasın?

Liseli Olmak

Sohbet için liselere giderken, sevincimin yanına soru işaretleri kıvrılıyor hep. Çocukların ihtiyar dostlarına nasıl davranacağını, ne soracaklarını tahmin edemiyorum.

Önceden hazırlansam da olay farklı gelişebiliyor. Bazen salonu öğretmenleri kırılmasın diye dolduruyor öğrenciler, bazen de "ifadenizi almak" için bilenmiş, "sıkı" gençlerle karşılaşıyorsunuz.

Saint-Joseph Lisesi'nde genellikle "b" şıkkı geçerliydi. Bir kere, lisenin yıllardır sürdürdüğü ciddi bir "Kitap Haftası" projesi var. Öğrenciler başka okullardaki arkadaşlarıyla beraber, genç yazarların kitaplarını inceliyor, hatta resmen didikliyorlar. Sonra da yazarları okula davet edip canlarına okuyorlar.

Benim yazar arkadaşlarıma naçiz tavsiyem, bu etkinliği kaçırmamaları.

Tabiî hemen ekleyeyim: gidince "sıkı durmak" lazım.

İki nedenle: birincisi edebiyata meraklı gençler bekliyor orada bizi. İkincisi, yazarları terletmeyi pek seviyorlar. O beyaz örtülü, sürahili, bardaklı masaya oturduğunuzda üslubunuz masaya yatırılmış, dramatik yapınız sorgulanmış oluyor. Yazar kimliğiniz, popülerliğiniz, satır aralarında söyledikleriniz tek tek geçiriliyor elden.

O gün öğrencilerin karşısında ne kadar zorlansanız da sonradan gurur duyuyorsunuz, yazdıklarınız hakkında bu kadar düşünülmüş olduğu için.

Ön sıralarda oturan ve benden niye nefret ettiğini kibar bir dille anlatan delikanlıyı dinlerken, kısa bir süreliğine kendi lise yıllarıma gittim. On beş yıl önce, Galatasaray'ın Tevfik Fikret Salonu'nda Uğur Mumcu'ya, Bülent Tanör'e ya da Tomris Uyar'a sorular soran o genç çocuk, nasıl derler, gözümde canlandı.

Ama nasıl da emindi kendisinden, dünyayı anlamaya başladığına nasıl da inanıyordu... Konuşmacının gülümseyişi nasıl bozuyordu sinirini...

Delikanlıyı gülümseyişimi hiç bozmadan dinlerken, şunu fark ettim: aslında herkes kendi lisesini yaşıyordu. Akranlarım için farklı bir dünyaydı lise. Cep telefonuyla konuşmadığımız, internete girmediğimiz, zap yapmadığımız bir dünya...

Hani her kuşak kendisini "arada kalan kuşak" olarak görür ya, biz de kitap kurdu büyüklerimiz ile bir sonranın tekno kuşağı arasında tost olmuştuk işte.

Sayfalarımı dikkatle karıştıran o gencecik insanları da kim bilir hangi rüzgârlar, nerelere savuracaktı...

Eleştirmenlere taş çıkaracak yorumlar yapan kıvırcık oğlan bir bankanın cari hesaplarından sorumlu olacaktı belki. İğrenç romanımın dramatik yapı kuralları gereği başka türlü bitmesi gerektiğini savunan gözlüklü kız bilgisayar mühendisi olup yurtdışında yaşayacaktı. O kuşağın en parlak beyinleri de yurtdışına gidecekti belki.

Tıpkı bizimkiler gibi.

Ama liseli olmanın daha renkli tarafları da var tabiî. Boyları çaktırmadan kısaltılan gri eteklerin, pantolon dışına sarkıtılan beyaz gömleklerin, minyatür kale oynarken gevşetilen kravatların, okul servisinde başlayan aşkların altın çağı...

Malum, kişilik de kafa yapısı da tam bu dönemde şekilleniyor. Her gün aynaya bakıp kendimize tuhaf tuhaf sorular soruyoruz.

Üstelik henüz paraya dokunmamış haldeyiz. Elimiz de ruhumuz da temiz. Yok kimseye eyvallahımız.

Yani istediğimiz kadar radikal, istediğimiz kadar cimcime, istediğimiz kadar delikanlı, istediğimiz kadar cool olabiliriz.

Süper!

Lisedeyken hepimiz, başrolünde oynadığımız bir filmi yaşıyoruz aslında. Ama sonra çaktırmadan yardımcı oyunculuğa kaydırıyor hayat bizi. Yaşımız ilerledikçe anlıyoruz ki meğerse birer figüranmışız. En iyi ihtimalle birer misafir sanatçı.

Bunu keşfettikleri için herhalde, televizyoncular son zamanlarda lise konularına kaptırmış gidiyor. Gördüğüm kadarıyla liseliler sevdi bu dizileri. Gerçi bazıları neredeyse benimle yaşıt oyuncuları lise öğrencisi kılığında görmek biraz garip kaçıyor ama olsun.

İzmir Saint-Joseph Lisesi'nde, öğretmen ve öğrencilerin aylar süren çabalarıyla düzenlenmiş "Kitap Haftası" bana bunları düşündürdü işte.

Dönüş için uçak saatini beklerken Kordon'a gidip bir kafeye oturdum. Sigaramı yakıp dumanını körfeze doğru üfledim. Yağmur suları dökülüyordu kafenin tentelerinden.

Keyfim yerindeydi. Hâlâ genç sayılırdım.

Yazı Bitiren Şeyler

Sabah sabah ince bir yağmur. O kadar ince ki, iğne deliğinden geçip sonsuz bir nakış işleyebilir toprağa.

Gökyüzü sanki parlatılmış bir gümüş. Yaz aylarının sarhoşluğundan yeni uyanmış gölgeler belirsiz bir menzile doğru, hızlı hızlı yürüyor.

Maarif takvimine bakarsak eylül ayındayız (oysa haziran daha yeni gelmişti). Yağmur en derin acıların ve üç kuruşluk umutlarımızın üzerine yağıyor; atını aylar süren kuşatmadan sonra fethettiği kente süren Kubilay Han gibi sakin ve düşünceli.

Radyoda genç Fransız şarkıcı Vincent Delerm'in "Les filles de trente ans" adlı şarkısı, kederli bir neşeyle karışıyor yağmura: "73'lü kızlar şimdi otuz yaşında"

Onlar ki *Yağmur Adam*'ı üç kez görmüşlerdir.
Rosanna Arquette gibi giyinmişlerdir.
Kafalarına bandana takıp
Etyopya ve Somali'ye pirinç göndermişlerdir.
Ve "sen anlamazsın" demişlerdir sorunca
73'lü kızlar şimdi otuz yaşında, la la la...

Yaz bir mecaz olarak değil, sözlükteki anlamıyla bitiyor. Ceketleri temizlemeciye vermediğimiz, şemsiyemizi akraba evinde unuttuğumuz için kendimize kızmamız lazım.

Ülkü Tamer'in dediği gibi, "yazın bittiği her yerde söyleniyor".

Dedikodular ve söylentiler kenti dört koldan saracak: magazin yazarları şık kadınların sonbahar giysilerinden, yazlık eğlence yerlerine zamansız yağan yağmurlardan bahsedecek yine.

Bir de son sürat yaşanıp biten gönül maceralarından.

Osetyalı bir anne, daha bir hafta önce bahçede koşup oynayan yavrusunun mezarı başında susacak. Yağmur ona da yağacak, aynı incelik ve şefkatle.

Sanki teröristlerin öldürdüğü çocuk birazdan uyanacak ve sürdürecek oyununu.

Yaşam devam edecek, bir yarayla oynar gibi.

Yazın bittiğini söylemese de, bize bunu sezdiren çok şey var. Onlar, mevsim dönümlerinin işaret levhaları. Kısa yaşantımızın sonbahara açılan kapıları. Her yıl biraz daha alışıyoruz kendilerine ve yavaş yavaş anlıyoruz; sonbaharın aklımızdaki resmi onlar sayesinde billurlaşıyor.

Mesela, Erman Toroğlu...

Sevgili hocamızı ne zaman koltuğuna kurulmuş, arkasındaki görüntüleri çocuksu bir heyecanla ileri geri oynatırken görsem, içimden gidip beslenme çantası hazırlamak, yaka ütülemek, defter kaplamak geliyor.

Çünkü Erman Hoca demek, liglerin başlaması demek. Liglerin başlaması da mevsim sonuna geldik demek. Gerçi havalar henüz sıcak, teknik direktörler kötü futbolun mazeretleri arasında sıcağı gösteriyorlar ama olsun. Bir kere düdük çalındı: artık yapraklar dökülecek, gökyüzü grileşecek, kışlıklar indirilecek demektir.

Akranlarım için yazın bittiğini gösteren şeylerden biri de "Balinler Okul Önlükleri"ydi... Önlük reklamlarının en tanınmışı, en uzun ömürlüsüydü o. "Okul önlüklerinde Balinler'iz" şarkısı radyolarda yirmi küsur yıl boyunca aynı çocuklar tarafından ve aynı kart sesli ördek kardeş eşliğinde söylendi durdu.

Duyar duymaz anlardık: ilk göçmen kuş sürüsü çoktan izin istemiştir.

Sonra "Yeni yayın dönemi" tamlaması... Bu da "Sonbahar geldi" demenin televizyoncası oluyor.

Yani balkonda ya da çardak altında geçirdiğimiz sıcak yaz gecelerine gönül rahatlığıyla veda edebiliriz. Birkaç haftaya kadar daha sert yağmurlar, birkaç aya kadar da içimizi titretecek rüzgârlar yetişir. Biz de ne yaparız? Açarız televizyonumuzu, otururuz karşısına. Artık gelsin süper diziler, gitsin mega şovlar!

Bir de "Kış saati uygulaması" var ki, asıl bitirici darbeyi de işte o indiriyor.

Gazetelerde yan yana iki saat çizimi oluyor hep. Olabildiğince kibar bir dille, "Geri almayı unutmayınız" yazıyorlar. Uygulama sayesinde o yaz kaç kilovat tasarruf ettiğimizi açıklayan haberler çıkıyor bir de. İş çıkışı havayı kararmış görünce üzülmeyelim diye herhalde.

Akşam dışarı çıkarken çantamıza koyduğumuz hırkalar da ünlü yaz katillerinden. Oysa istiyoruz ki sıcaklar biraz daha sürsün. Konserlere ve düğünlere "rahat bir şeyler" giyerek gidelim. "Üstümüze kalın bir şeyler almaya" başlamayalım hemen.

Öte yandan, "yaza veda partileri" sonbahara yalnız girmek istemeyenler için son bir umut.

Ne olursa olsun, herkesin yüzüne yeni bir anlam getiriyor sonbahar.

Kızlarda apaçık bir "şimdi ne olacak?" ifadesi, depresyona girme korkusu, grileşen gökyüzüne bakıp iç geçirmeler ve dalgınlık gözlemleniyor.

Erkeklerde de gereksiz bir asabiyet, yer yer sabırsız davranışlar ve kaçırılmış aşklarla ilgili semptomlar söz konusu.

Gençlerde o anki duygusal evrelerine göre türlü çalkantılar ya da bastıran geçim kaygıları, yaşlılarda ise eski sonbaharlara özlem ile tuhaf bir melankolinin karışımı görülüyor.

Tabiî en iyi Yahya Kemal görüyor bunu:

Günler kısaldı. Kanlıca'nın ihtiyarları,
Bir bir hatırlamakta geçen sonbaharları.

Çünkü sonbaharı yaşamak yalnızca duyguya değil, bilgiye de bağlı. Onu ne kadar öğrenir, bilimiyle ne kadar içlidışlı olursak o kadar açıyor bize kapılarını.

Yaşlı dünya da güneşin çevresindeki turunu bu sayede sürdürüyor. Biz de o yorulmasın, soluğu kesilmesin istiyoruz. Okulun ilk günü bahçede oynayan Osetyalı bir çocuğun neşesiyle dönsün, dursun.

Ta ki biz "yazı başlatan şeyleri" yeniden görene kadar.

Oda Müziği

Can'ın çok güzel bir odası var. Gerçi kendisinin şimdilik pek umurunda değil, ama ayılı duvar kâğıtları, yatağı ve oyuncak dolabıyla küçük ve şirin bir yer oldu.

Kendimi iyi hissetmek istediğimde odadaki koltuğa oturuyor ve kitap okuyorum. Oğlunun odasında kitap okuyan baba imajı pek hoşuma gidiyor. Dünyadaki itiş kakışın dışına çıkmışım, her şey odanın kapısında kalmış gibi hissediyorum herhalde.

Pascal'ın meşhur sözü: "İnsanın tüm mutsuzluğu bir tek şeyden kaynaklanır: sessizce odasında kalmayı başaramamasından."

İnsan kendi mutsuzluklarını düşününce, çoğunun kendisini mağarasının dışına çıkaran tutkular ve hırslardan kaynaklandığını gayet güzel anlayabiliyor. Güzel söz yani Pascal'ınki.

Ama bir müebbet mahkûmu duysa küfredebilir, o ayrı.

Piyanist filmindeki adam ya da; mutsuzluğu o metruk odanın dışına çıkmayı başaramamasından kaynaklanıyordu zavallının.

Tabiî tüm bunlara neden olan Adolf Hitler hayatı boyunca odasında oturup Eva Braun'un resimlerini yapsaymış hiç fena olmazmış.

Bir oda müziği dolanıyor kulaklarımda. Kot pantolonlu, tişörtlü dört genç müzisyen, konservatuvarın salonunda yaylı çalgılarıyla prova yapıyor.

Oğlanlardan biri uzun saçlı, kızlardan birinin burnunda piercing var. Büyük bir dinginlik içinde, Wolf'ten *İtalyan Serenadı*'nı çalıyorlar. Birazdan prova bitecek ve hepsi kentin kalabalığı içinde ayrı yönlere doğru uzaklaşacak.

Hepsini bekleyen birer oda var belki de.

Yatılı okuldayken tek fantezim vardı: bir oda sahibi olmak. İçinde tek başıma uyuyup uyanabileceğim, özgürce hareket edebileceğim bir odamın olması. Günün birinde kendime ait bir masamın olacağını düşünmek bile mutluluğa boğardı beni. "Belki..." derdim, gece gündüz kırk kişiyle paylaştığım yatakhaneye bakarak. "Bir gün bir odada oturur ve yazmak istediklerimi yazabilirim."

Daha büyük bir mutluluk hayali gelmezdi aklıma.

Sonra okulun "müzik odası"na dadandım. Tek penceresi futbol sahasına bakan, floresanların mavi mavi aydınlattığı bir odaydı. Yıldırım Beyaz marka eski bir bateri, akordu bozuk bir duvar piyanosu ve galiba 65 model bir Fender gitar vardı içeride. Gerçi bakımsız ve hüzünlü bir odaydı, ama odaydı sonuçta; içine girip kapısını kapatınca kendinizle kalabiliyordunuz.

Orada geçirdiğim ıssız hafta sonlarında bateriyi masa olarak kullanarak kitap okur, piyano kapağının üstünde yazı yazardım. Üstelik başka avantajları da vardı müzik odasının; tavan akustik nedenlerle alçaltılmıştı mesela. Sigara yanıklarıyla dolu da olsa, yekpare halıyla kaplıydı yer. Bu da binayı kış aylarında kasıp kavuran soğuğu dayanabileceğim düzeye indiriyordu.

Bu arada gitar çalmayı da öğrendim üstelik. Bugün bile elime gitar aldığımda kendimi yatakhanenin müthiş soğuğundan kurtulmuş o yeniyetme gibi hissederim.

Bunları yazdığım odaya bakıyorum: büyüklüğü çocukken sığındığım müzik odasıyla hemen hemen aynı. İki duvarı kaplayan kitaplar, antikacıdan aldığım yazı masası, bazı geceler üzerinde uyuyakaldığım kanepe ve her an içindekileri püskürtecekmiş gibi duran gardırop...

Hepsi de gençliğini yavaş yavaş geride bırakan bir adamı anlatıyor.

Ve ne yaparsam yapayım, çocukluğumun müzik odası her an biraz daha uzaklaşıyor benden. Orada çalınan Deep Purple baladları, uzun ve eski bir gitar solosu gibi kulaklarımdan silinip gidecek bir gün.

Oysa kot pantolonlu çocuklar oda müziğini çalmaya devam ediyor: Şostakoviç'ten *Yaylı Çalgılar Dörtlüsü* var şimdi. Pencerenin kıyısındaki iskemlelerden birinde, genç bir kız. Önündeki notalara eğilmiş, ezgilerin akışını izliyor.

Pascal haklıdır belki de; bütün belalar odamızın dışına çıktığımız için gelip bizi bulmaktadır.

Yetinmeyi bilsek odamız ana rahmi gibi sarıp koruyacaktır ruhumuzu. Mağaramızın kalın duvarları kazadan beladan uzak tutacak, kalemizin surları gedik vermeyecektir.

Ama emin olmayalım yine de; mesela Anne Frank gibi bir odanın içinde ölüm korkusuyla dolu iki yıl geçirmiş olanlar acı acı gülebilir bu düşünceye.

Bu arada bilgisayarı oğlumun odasına taşıdım, bu satırları orada yazıyorum. Bütün çocuk odalarında olduğu gibi genellikle işe yaramayacak, süslü püslü şeylerimiz var bizim de. Boyu bizim oğlanın iki katına yakın bir oyuncak köpek, bakıcı abla için küçük bir televizyon ve renkli yıldızlar var mesela. Ayrıca dolabın üstüne koyduğumuz Kuran (Yaşar Nuri Öztürk çevirisi), gece gündüz ışıklar saçıyor.

Dışarıda mayıs sonu için oldukça sıcak bir hava. Can bir odaya sahip olduğunu bile umursamayacak kadar küçük daha. Sırtımı yasladığım koltuk uykumu getirecek kadar rahat.

İçimse rahat değil: on sekiz yıl önce karanlık koridorlardan geçip müzik odasına sığınan o gözlüklü çocuk şimdi nerede acaba?

Bir daha karşılaşabilecek miyiz?

Oda müziği sürüyor hâlâ kulaklarımda. Müzik odası ruhumu korumayı sürdürüyor.

Anne Frank, sığındığı odada yakalanıp Auschwitz'e götürülmeden önce son olarak şunları yazıyor günlüğüne:

"Hâlâ inanıyorum ki, insanlar aslında iyi kalplidirler."

Bir Nihavent Sarhoşluk

Yağmurun yavaşlayıp hızlandığı, gayet nihavent bir gün. Kıymetli dostum Ara ile Beyoğlu'nda Ara Café'de oturuyoruz.

Ara doğuştan gazetecidir ve bir aile müessesesi olan *Jamanak* gazetesini İstanbul'daki Ermeni yurttaşlarımız için yıllardır özene bezene çıkarır.

Biz onunla ne zaman buluşsak zamanın hiç geçmediğini, hâlâ okul gazetesi *Tambur*'u çıkaran iki fırlama olduğumuzu hissederiz.

Gündem konularımız bile değişmez; son zamanlarda yaptıklarımızla başlar, lisenin güzel kızlarını hayırla yâd eder, Cumhuriyet Halk Partisi için biraz üzülür, İdris Küçükömer'i maalesef haklı bulur, Fenerbahçe'nin yeni transferlerini değerlendiririz.

O henüz dönmüş olduğu Paris'i ya da Kudüs'ü, ben de yeni yazmakta olduğum kitabı anlatmaya başladığımda iyice güzelleşmişizdir artık.

Bir diğer özelliğimiz de, planlı programlı olmayan, kendiliğinden meydana gelen buluşmalardan daha çok tat almamızdır.

Söz konusu yağmurlu günü farklı kılan, benim bir çekime katılmak için Tünel tarafına koşturuyor oluşumdu. O sırada bir tanıdığıma rastladım. Ben o tanıdığa tanıdıkça sözler söylemeye çalışırken, iri bir gölgenin varlığını hissettim arkamda.

Galatasaray'daki Yapı Kredi Yayınları'nın önünde üzerinize böyle bir gölge düşerse bunun anlamı bellidir: Ara Koçunyan'la karşılaşmışsınızdır ve birlikte Cumhuriyet'e gidilecektir.

Ama o kadar çabuk değil; önce gerçekleştirmemiz gereken çok önemli bir tören var. Çantamda bizim oğlanın yeni düşmüş göbek bağını taşıyorum. Hemşireler tarafından plastik bir kabın içinde saklanmış o parça Galatasaray'ın arka bahçesine gömülecek. Mümkünse Gül Baba'nın yakınlarında bir yere.

Böylelikle oğlanın vakti gelince mektebe girmesini garanti altına almayı umuyoruz.

Ara'yla karşılaştığım zaman aklıma bir haftadır çantamda duran göbek bağı geldi hemen. Bu töreni paylaşabileceğim en doğru insanla karşı karşıyaydım!

Lisenin kapısında bizi İbrahim kardeşimiz karşılıyor. İbrahim bizle yaşıttır. Şimdi o da büyümüş, ön tarafı dökülen saçlarıyla yeni bir karizma kazanmış, lisenin kapısından kuş uçurmamakla görevli.

Misyonumuzdan kimseye söz etmeden, sinsice süzülüyoruz içeriye.

Ön bahçedeki ağaçları budayan adamları yöneten Hamza'yla selamlaşıp Fransız Sokağı tarafındaki yolu kullanarak ulaşıyoruz arka bahçeye. Oğlanın göbeğini gözümüze kestirdiğimiz bir çamın altına gömüyoruz. Günün anlam ve önemini belirten birer konuşma yapıyoruz. Kutlama için Cumhuriyet Meyhanesi'ne gidiyoruz sonra da.

Doğuştan gazeteci gözleriyle tahlil ediyor Ara: Cumhuriyet değişmiş, garsonlar değişmemiş. Eskiden daha bohem olan müdavimler yerini bir "şirketten arkadaşlar" nüfusuna bırakmış.

Yakınlarımız ölmüş, arkadaşlarımız uzaklara gitmiş, yaşımız biraz ilerlemiş aynı zamanda.

Bu sefer de oğlanın göbek bağını Galatasaray Lisesi'nin arka bahçesine gömüşümüzü kutlamak için gelmişiz rakı içmeye. Hadi bakalım.

"Dur ey zaman!" demiş Goethe. "Ne güzelsin!"

Zaman denen fıstık bu iltifata yüz vermeden yürüyüp gitmiş ama. İnanmayanlar Goethe üstadımızın mezarına uğrayıp kemiklerine bakabilir.

Bu sabah da postadan Galatasaray Eğitim Vakfı imzalı bir zarf çıktı. Mezuniyetinden bu yana on yıl geçmiş olanlara yollanan broşürde, mektebi en güzel açılardan gösteren bazı fotoğraflar var.

Uzun saçlı, kot pantolonlu gençler ders yapıyor, ön bahçede

top oynuyor ve toplantı yapıyorlar. Sadece lacivert ceketin ve gri pantolonun çirkinliği değil resimlerde yokluğu hissedilen. O kıyafetlerin insan beynini iğdiş eden ruhundan da eser yok benim okulumda.

Sınıflardaki öğrencilerin hınzır gülümsemelerine bakıyor ve onu çok iyi tanıdığımı hissediyorum. Kadeh tokuşturmak için başımı kaldırdığımda Ara'nın yüzünde de aynı ifade var çünkü. O ele avuca sığmaz, fırlama şey Galatasaray Lisesi'nin resmî yüz ifadesi. Mektepte okurken siz fark etmeden gelip yerleşiyor yüzünüze. Zaten kazandırdığı bir numaralı şey de bu mektebin: mizah duygusu. Hayat boyu karşılaşacağınız zorluklarla dalga geçebilme özelliği.

Ara'yla Ara Café'de oturuyoruz. Bir diğer meşhur Ara olan değerli Ara Güler, az uzağımızdaki masada misafirlerini ağırlıyor. Bizimkinin yüzünde kendisiyle aynı adı taşıyan böyle güzel bir mekânda olmanın haklı gururu.

"Dur ey zaman" diyorum, güzel bir kızın ardından bağırır gibi. "Ne güzelsin!" Başımı kaldırıp *Jamanak* gazetesinin genç patronu Ara kardeşimin hınzır hınzır gülümseyen gözleriyle karşılaşıyorum yine. Fonda bir nihavent, kibar kibar çalıyor.

Üstelik de *Jamanak* Ermenice'de "zaman" anlamına geliyor, aksi gibi.

Selamsız Bandosu

Dayanamadık, orkestra kurduk ajansta. Adını güzel bir filmden alıyor. Belirli gün ve haftalarda eşe dosta konser veriyoruz. Aramızda emekli çalgıcılar var. Gizli yetenekler var sonra, hatta profesyonel müzisyenler bile var. Belki henüz Pink Floyd sayılmayız, ama çok eğleniyoruz provalarda.

Herkes birkaç saatliğine işyerindeki kimliğinden sıyrılıp orkestra üyesi haline geliveriyor. Patronların klavyeci ve gitarist, metin yazarının solist, sanat yönetmeninin davulcu, müşteri temsilcilerinin vokalist olduğu, azimli bir orkestrayız.

Gerçi profesyonel grupların birkaç günde hazırlayacağı repertuvarı çıkarmak haftalarımızı alıyor, ama olsun.

Zaten ister amatör olsun ister profesyonel, grupta çalmak hep özel bir durum. Eğlence ile ciddiyetin, demokrasi ile otoritenin kucaklaştığı hoş bir insanlık hali. Provalarda müzik dışında da bir şeyler öğreniyorsunuz. Dayanışmanın, egoyu frenlemenin, şarkıyı kazasız belasız bitirince çocuklar gibi sevinmenin tadına varıyorsunuz.

Bir nevi kader ortaklığı yani; çalmaya başlayınca ok yaydan çıkmış oluyor. Bütün grubun son notaya kadar dikkatini ve aklını yaptığı işe vermesi şart.

Tabiî müziğin sihri de var; enstrümanlardan çıkan farklı sesler bir araya gelip güzel bir uyum oluşturuyor. Basit bir blues parçası çalarken bile en evrensel sanatın müzik olduğunu hissediyorsunuz.

Spielberg'in *Üçüncü Türden Yakın İlişkiler* adlı güzide filmi geliyor aklınıza. Filmdeki bilimadamı uzaylılarla iletişim kurmanın yolunu notalarda buluyordu hani.

Sonra müzik gruplarını anlatan filmler... Luc Besson'un çektiği *Metro* mesela: Paris Metrosu'nun sefil insanları, esrarengiz bir şekilde buluşup garip bir orkestra meydana getiriyor.

Sonra Alan Parker'ın *The Commitments*'ı... Avrupa'nın zencisi sayılan Dublin'li işçi sınıfı gençleri, hayatın kıskaçlarından yırtmak için müziğe sarılıyor.

Tabiî efsanevî *Cazcı Kardeşler*'i unutmak da olmaz. İki yoksul kafadar, hapisten çıktıktan sonra gruplarını yeniden toplayabilmek için debelenip duruyor. Bu arada biz de blues makamının devleriyle müşerref oluyoruz. Aretha Franklin'den James Brown'a, Ray Charles'tan John Lee Hooker'a...

Türk sinemasının o sepya renkli yapraklarını karıştırırsanız, bizim gruba da adını veren *Selamsız Bandosu* çıkacak karşınıza. Anadolu'nun ücra bir kasabasında orkestra kurmak zorunda kalan o çaresiz insanlar.

Aslında her müzik grubu ayrı bir film. Hepsinin hikâyesi ayrı. Bu hikâyenin en zor taraflarından biri de ona isim bulmak.

İsmin grubun havasını taşıması, müziğine yakışması lazım. Şahsen üzerinde bütün grubun hemfikir olduğu bir isme şimdiye kadar rastlamadım. Bir gruba isim konduğunda bilin ki o isimden memnun olmayan sessiz bir başçı ya da davulcu mutlaka vardır.

İsim konusunda naçiz favorilerim: Laço Tayfa, Winona Riders, İncesaz ve Kesmeşeker.

Kendi bulduklarımı da grup kurmak isteyen arkadaşların dikkatine sunayım: Serotonin, Kara Tren, Dandanakan ve Gaipten Sesler...

Aslında grup müziği, gayet proleter bir iş. Bir kere yoğun kol ve zihin emeğine dayalı. Sonra baba gruplara baktığınızda, işçi sınıfının hâkimiyetini görüyorsunuz.

Tabiî bu biraz da rock müziğinin doğasından gelen bir şey. Genellikle başarıya aç, sesini duyurmak isteyen gençlerin kurduğu gruplardan iyi müzik çıkıyor. İyi aile çocukları ya hiç girmiyor bu işlere ya da biraz tıngırdattıktan sonra büyüklerinin uygun gördüğü istikamete, tıpış tıpış gidiyorlar.

Yine de bizim kuşağın özelliklerinden biri çok sayıda grup çıkarmış olması.

Benimle yaşıt olup da hayatının bir döneminde bir grupta yer almış sayısız insan var. Bu grupların çoğu üç beş konser verdikten sonra müzik tarihinin derinliklerinde kayboldu. Ama örgütlenmeyi pek bilmeyen, dayanışması zayıf bir kuşağın kolektif çalışma ihtiyacını biraz olsun karşıladılar.

Bazen radyoyu karıştırırken yerel bir istasyonda karşılaştığım bir Kumdan Kaleler şarkısı, bana hâlâ gençliğimi özetleyebiliyor mesela.

Sadece o grubu kurmuş, şarkılarını yazıp söylemiş ve amfilerini taşımış olduğum için değil... O grupta çalarken öğrendiklerimle gurur duyduğum için. Becerebildiğim kadar iyi bir insan olmayı biraz da ona borçlu olduğum için.

Kumdan Kaleler benim için hep başarılı bir grup olacak. Onu hatırlayan fazla kimse olmasa bile.

Tabiî "Selamsız Bandosu" da bence başarılı bir grup. Yine aynı nedenlerle.

Çırpınırdı Karadeniz

Bu, Kazım Koyuncu hakkında bir yazıdır.

Şahsen tanımasam da, yukarıdaki başlıktan pek hazzedeceğini sanmıyorum. Çünkü malum, milliyetçi gençlerin marşı olmuş bir türkünün adı bu. Kazım'sa bildiğim kadarıyla sol görüşlü.

Ama ne yapayım ki başlık yazıya uyuyor.

Kazım Koyuncu solcu olmasının dışında Karadenizli, benden bir yaş büyük ve rock müzisyeni. Biz Kumdan Kaleler albümünü hazırladığımızda, onlar da Zuğaşi Berepe topluluğu olarak ilk Lazca rock albümü olan *Vamişkunan*'ı yayınlamışlardı. Aynı dönemde benzer şeyler yapmaya çalışan insanlardık; merakla dinlemiştim tulum ile elektrogitarın dansını.

Kazım Koyuncu bugünlerde biraz rahatsız.

Kendi söylediğine göre "germ hücreli tümör" olarak tanımlanan bir tür kanser teşhis edilmiş vücudunda.

Ama bunu dramatize etmeye niyeti yok. Çünkü birincisi, iyileşme ihtimali olan bir tümör bu. İkincisi, her Karadeniz uşağı gibi Kazım'ın mizah duygusu da gayet sağlam. Öyle ahlayıp vahlayacak biri değil. Zaten hastalığının medya tarafından dramatize edilmesinden korkuyormuş en çok.

Üzülmek için çok neden yok çok şükür; ama kızmak için nedenler var.

Geçen günlerde bir söyleşi yapmış. Haklı olarak hastalığıyla geçmişteki Çernobil faciasının ilgisini sormuşlar Kazım Koyuncu'ya.

"Neredeyse her ailede bir kanser vakası var ve bu tesadüf değil" demiş Kazım. "Adamlar pişkin pişkin çıkıp çay içti karşımızda. Bunu yapan insan ya geri zekâlıdır ya da çıkar gruplarına hizmet ediyordur. Eğer bu insanlar karşımızda çay içeceklerine erken teşhis için birtakım çalışmalar yapsalardı, sonuç daha farklı olurdu. Şimdi bunlar cinayet değil mi? Buna karşı önlem almamak o çok korktukları terörden daha kötü değil mi? Çok korktukları vatan hainleri var ya, asıl vatan hainleri, halk düşmanları Osmanlı'dan günümüze dek gelen bu tarz yöneticilerdir."

Hatırlıyoruz değil mi; 26 nisan 1986 günü Ukrayna'daki Çernobil Nükleer Santralı'nın dördüncü reaktöründe sabaha karşı bir patlama olmuştu. Edirne'den Baltık Denizi'ne, çok geniş bir alanı etkileyen bu olay, Hiroşima ve Nagasaki'den sonraki en büyük nükleer patlama olarak geçmişti tarihe.

Annelerimiz çay tüketimini asgariye indirmişti. Özellikle Kuzey Anadolu halkı endişe içindeydi. Çünkü Karadeniz'in hemen yukarısında olmuştu patlama. Ta İsveç'e ulaşan radyasyonun Trabzon'a, Hopa'ya, Samsun'a ulaşmaması için bir neden yoktu.

Tam o sırada bıyıklı bir bakanın televizyona çıkıp gözümüzün içine baka baka çay içtiğini gayet net hatırlıyoruz, değil mi?

Adamın adı silinmiş aklımdan. Çok önemli değil zaten. Ama torunlarının torunları bile Google'a girip "yalan" "Çernobil" ve "bakan" sözcüklerini bir arada yazdıklarında onun ismiyle karşılaşacaklar.

Yani Karadeniz çırpınıp durmuş, ama kimseye anlatamamıştı derdini.

Ama dediğim gibi, bir siyasal taşlama yazısı değil bu. Yazarın kendisini okurlardan daha akıllı zannettiği yazılardan hiç değil.

Bu, Kazım Koyuncu hakkında bir yazı.

Kazım Koyuncu'ya destek yazısı değil. Kazım en büyük desteği kendi içinin derinliklerinde bulmuş çünkü. Herhalde gitarıyla çaldığı her akort, tokat gibi patlıyordur o terbiyesiz tümörün yüzünde.

Bu, insanları Kazım Koyuncu'ya sahip çıkmaya çağıran bir yazı da değil. İnsanlar ona sahip çıkıyor zaten. Geçen hafta Yeni Melek'teki konseri anlata anlata bitiremiyor görenler.

Bütün orkestra kemoterapi yüzünden saçı dökülen sanatçıya jest olsun diye sahneye kafayı kazıtıp çıkmış ve hareketin kralını yapmış bence. Böyle orkestra tüm rock solistlerinin başına.

"Gerçek bir sanat eseri zırhımızı delip içimizdeki bilgelikle ilgisi olmayan, doğuştan gelen yanımıza dokunabilir. Bu da o eseri alımlayanlar arasında bir kardeşlik, bir yürek dayanışması doğurur. Dünya görüşleri ne olursa olsun" diyor Joseph Conrad.

Benimki de Kazım'la ilgili bir yazı. Ona uzaktan selam çakmak için yazılmış bir yazı. Dünya görüşümüz ne olursa olsun müziğiyle içimizdeki Karadeniz'i çırpındıran bir müzisyene teşekkür yazısı.

Geçmiş olsun yazısı.

"Long Live Rock and Roll" cümlesinin Lazca'sı neyse, işte onun yazısı.

68 Kuşağı'na Küçük Bir Mektup

Cem Karaca da müsaade istedi.

Çocuklar ne oluyorsunuz? Daha yaşınız kaç, başınız kaç?

Durun, kızmayın hemen. Sizin kuşağınızdan bir anne babanın çocuğuyum. Haliyle, değerleriniz ve yaşadıklarınız hakkında iyi kötü bir fikrim var.

İkinci Dünya Savaşı'ndan hemen sonra doğduğunuzu biliyorum mesela. Hiçbir payınızın olmadığı bir savaşın sıkıntısını bir şekilde yaşadığınızı.

O cehennemin tozu dumanı dağılmadan hayata merhaba dedikten sonra Cumhuriyet idealleriyle yetişen ilk kuşaklardan olduğunuzu...

Sizi anlayabildiğimi de sanıyorum. Galiba ben de "80 Kuşağı" dedikleri dönemin çocuklarındanım. Biz de ne öncesinde ne de sonrasında hiçbir payımız olmamasına rağmen bir darbe ve sonrasındaki devirle beraber anılıyoruz işte. Ne diyelim, mukadderat.

Babamın 60'lı yılları anlatırken nasıl heyecanlandığını, yaşıtlarından bahsederken ela gözlerinin nasıl dolu dolu olduğunu biliyorum. Hatta yaşadığı olayları bazen nasıl çaktırmadan abarttığını ya da 60'lı yıllarda üniversiteli olmanın ne anlama geldiğini de...

Tıpkı annemin giydiği ilk mini eteğin gururunu hâlâ yaşadığını bildiğim gibi.

Hakkınızda genellemeler yapmanın salaklık olacağının da farkındayım ayrıca. "68 Kuşağı" denince tek bir şeyden bahsetmediğimizi biliyorum. Fransa'da yaşanan ile Türkiye'deki 68 aynı değil. Tabiî Sultanahmet'teki ile İzmir'deki de...

Mick Jagger'in 68'i ile Ruhi Su'nunki de herhalde aynı değildir, değil mi?

Haklısınız; bilgimi ve hayalimi ne kadar zorlarsam zorlayayım, ruhunuzu asla tam olarak hissedemeyeceğim. Maceranızın içine giremeyeceğim ve söyleyeceğim her söz neticede yüzeysel kalacak. Allah bilir sevinirsiniz siz de. "Biz demiştik zaten, bunlardan bir şey olmaz" falan dersiniz.

Ama müsaadenizle söyleyeyim; bu "68 Kuşağı" lafı da insanın bazen kafasını karıştırıyor. Merak ediyorum, o yılları yaşarken siz kendi kendinize "68 Kuşağı" diyor muydunuz?

Kızılderililer kendilerine "Kızılderili" der mi?

Bu lafı mutlaka soluk benizliler icat etmiştir. Bildiğim kadarıyla, Kızılderililer kendilerine sadece "insan" diyormuş. Acaba siz de kendinize sadece "insan" mı diyordunuz? Şu "68 Kuşağı" markası sonradan, başkaları tarafından mı yaratıldı?

Ah görüyorsunuz, ne kadar cahilim.

İnsan anne babası hakkında hep biraz cahil kalır zaten, değil mi?

Cüret gösterip söyleyebileceğim tek şey, bizim fazla olgun bir kuşak olduğumuz. Allah sizi inandırsın, bir sakinliktir, bir efendiliktir gidiyor. Hep B planları yaparak, riske girmeyerek, deliler gibi sevip de söylemeyerek yaşadık, yaşıyoruz. Kim bilir kaç macera, kaç sevişme, kaç hayat bilgisi kaçıyor bu arada. Bu olgunluğumuz görenlere hüzün veriyor.

Sahi, sizin özenilecek tarafınız ne biliyor musunuz? Her daim çocuk kalmanız.

Kuşağınızın gülümsemesinde de, ciddiyetinde de o büyümeyen çocuk görünüp kayboluyor hâlâ. İçinizden Amerikan başkanı bile çıksa saksofonuyla Beyaz Saray'ı birbirine katmayı başarıyor.

Peki sizi tanıyor muyuz? Yeterince dertleştik, yeterince söyleştik mi? Hayrımız dokundu mu birbirimize? İnanın bilmiyorum. Böyle şeyleri yaşarken bilemez ki insan.

Yaş günümde hediye gelen CD'de Cem Karaca "Deniz Üstü Köpürür"ü söylüyor. Ben de içimde köpüren sorularla boğuşuyorum. Geçen haziran gencecik babamı uğurlarken de o sıcakta aynı sorularla boğuşmuştum. Belki de babasız kalmanın acısını hissetmemek için soğuk soğuk espriler yapmıştım cenaze boyunca. Birini güldürebilirsem kaderin de bana gülümseyip babamı geri getireceğini mi zannediyordum ne?

Belki de bu yüzden Cem Karaca'nın haberini aldığımda bir akrabamı kaybetmiş gibi hissettim. Babamın kuzeni ya da annemin teyzesinin oğluydu sanki Cem Karaca. Evimize gelip giden bir tanıdık gibiydi. Kalbimde acıyan öyle yakın, öyle aşina bir şeydi nedense.

Bu mektubu da bir şeyler söylemek isteyip de beceremeyen bir yeniyetmenin medenî cesareti olarak kabul edin en iyisi, sonra mesele çıkmasın.

Ve aman çocuklar, kendinize iyi bakın. Hazır gençken spor falan yapın mesela.

Gözünüzü seveyim.

Siz bize daha lazımsınız.

İyi Gün Dostu da Lazım

Her konuda fikri olan eskilerin en azından bir sözü doğru galiba: insanın kötü gününde dost bulması zor.

İşler kötüye giderken bir üşüme geliyor üstümüze. Sanki birisi üstümüzden yorganı çekip almış. Bir yerde yalnızlık bizi üşüten. Dünyaya karşı çıplak ve savunmasız olduğumuzu hissediyor, bunun bilinciyle tir tir titriyoruz.

Basit şeyler istediğimiz: annemizin ameliyattan çıkmasını beklerken telefonumuz çalsın, haciz memurları gittikten sonra bir el omzumuzu sıksın, sevgilimiz terk ettiği zaman dost bir ses hatırımızı sorsun...

Bunları istemek hakkımız bizim.

Çünkü insanız. Etten, kemikten, evrenin sonsuzluğunda "kıymeti harbiyesi" olmayan el kadar bir varlık.

Bu yüzden unutmuyoruz kötü gün dostlarımızı. Onlara gönlümüzde özel bir yer açıyor, isimlerini tarihimize altın harflerle işliyoruz. "Gönül borcu" dediğimiz şey, genellikle bundan doğuyor. Kötü gün dostlarının bizim için birer mitolojik kahramana dönüşmesinin haklı nedeni de bu.

Tabiî insan zihninde her şey karşıtıyla var olduğu için, "iyi gün dostu" kavramı bunu tamamlıyor hemen. Çok iyi tanıyoruz iyi gün dostlarını: işler tıkırındayken yanımızda olup sonra kayıplara karışan birtakım hayırsız kişiler.

Ama tamı tamına böyle mi?

İyi günlerimizin de dosta ihtiyacı yok mu?

Dahası, iyi gün dostu olmak da özel bir terbiye, birtakım insanî meziyetler gerektirmiyor mu?

Aslında cevabın "evet" olması biraz korkutuyor beni. Dostlarıma iyi günlerinde eşlik etmekte zaman zaman zorlandığımı düşünüyorum çünkü. Genellikle sıradan şeyler neden oluyor buna: onun o sırada bana ihtiyaç duymadığını düşünüyorum mesela. Ya da her zamanki hayırsızlığım tutmuş oluyor, telefona gitmiyor elim.

Yanlış tabiî, insanın iyi gününde de dosta ihtiyacı var; ufacık bir şey başarsak bile o anı paylaşacağımız bir yakınımız olsun istiyoruz yanımızda. İstiyoruz ki bizimle beraber sevinsin ve karşılıklı kadeh kaldıralım; evren için üç kuruşluk değer taşımayan, tek marifeti hayatı biraz daha çekilir hale getirmek olan başarımıza.

Ne var ki söylemek kolay, yapmak güç.

İyi günündeki bir arkadaşımı görmek beni bazen geriyor çünkü. Onun durmadan gülen yüzüne baktıkça dertlerime bir kez daha lanet okuyor, gözlerinde kıpraşan sevinçten dünyamı karartacak bulutlar çıkartıyorum.

Ben keyifsizken başkalarının kelebekler gibi sektiğini görmekte içimi acıtan bir şey var.

İyi gün dostu olamıyorum bu yüzden.

Terfi almış arkadaşımı gönül rahatlığıyla arayamıyorum. Şarkısı listeye girmiş müzisyen dostumu gördüğümde dudaklarımdaki tebessüm biraz sahtekârca oluyor. Sonunda ev almayı başarmış iş arkadaşıma hayırlı olsun ziyareti yapmayı erteliyorum nedense.

Bazen resmen kıskançlık neden oluyor buna, bazen de onun sevincinin ışığıyla dertlerimin daha da aydınlanacağından, kendimi işe yaramaz ve aptal hissedeceğimden korkuyorum.

Bahaneler buluyorum ben de: başarının insanı değiştirdiğine karar veriyorum hemen. Dostlarımın davranışlarında bu müthiş varsayımı doğrulayacak kanıtlar arıyorum sonra. Aslında başarı dediğimiz şeyin insanı iyice yalnızlaştıracağını bile bile.

Bile bile; hayatın sonunda ölüme yenik düşecek dev bir fiyasko olduğunu. İyi günlerinse sadece birer istisna sayılacağını.

Ülkesini son düşman askerinden de kurtaran Mustafa Kemal'in yalnızlığı ile Cannes'da Altın Palmiye kazanan Yılmaz Güney'in yüz ifadesi arasında benzerlik var sanki.

Tıpkı, yıllarca yoksulluk çektikten sonra altılıyı tutturan çocukluk arkadaşım ile eserleri dünyaca ilgi gören mimar arasında garip bir benzerlik olduğu gibi.

İyi günlerinde ikisi de... Ve dosta ihtiyaçları var.

Belki biraz kendilerine dönükler şu anda; yaşadıkları sevinç başka şeyleri görmelerini engelleyecek kadar büyük. Hatta biraz bencil, bizim dertlerimize karşı biraz meraksız, kendilerinden sinir bozucu derecede memnun da olabilirler. Ama bu yalnız kalmak istedikleri anlamına gelmez.

Paylaşılmadığı zaman ne anlamı var bunların?

Ve biz değilsek, o sevinci onlarla kim paylaşacak?

Kim onları iyi günlerinde kutlayacak, gülen yanaklarından kim öpecek? Kim yıllarca verdikleri emeğin karşılıksız olmadığını, iyi günleri hak ettiklerini, bunun için utanmalarına gerek olmadığını fısıldayacak kulaklarına? Kim yarın nasılsa yeni dertlerle üşüyecek yüreklerine eşlik edip yazgılarına birer nazar boncuğu iliştirecek?

"En koyu yalnızlık bile bir tanığa ihtiyaç duyar" demiş Cemal Süreya, günlüğünde.

Peki yıllarca beklemiş bir kahkahanın, nice dertlerden sonra ferahlamış bir kalbin, çalışa çalışa nasır tutmuş sevinçli parmakların da birer tanığa ihtiyacı yok mu?

Ya da şöyle sorayım: sadece ve sadece "kötü gün dostu" olmakta biraz da dostlarımızın acılarına tanıklık etmenin verdiği karanlık bir lezzet mi var?

Bir Erkeği Taşımak

İki Budist rahip mayıs güneşi altında, yüce bir dağın zirvesindeki tapınaklarına gidiyorlarmış. Dağın eteklerine geldiklerinde, önlerinden akan nehrin kıyısında bir kadınla karşılaşmışlar. Kadın kendisini karşıya geçirmeleri için yalvarmaya başlamış.

Rahipler yardım edemeyeceklerini söylemişler. Dinleri bir kadına dokunmalarını yasaklıyormuş çünkü.

Ama kadın orada günlerdir beklediğini, yüzme bilmediğini, karşıya geçmek için başka hiçbir aracın olmadığını söyleyerek yalvarmaya devam etmiş. Dövünmüş, sızlanmış, rahiplerin karşısında gözyaşı dökmüş.

Sonunda rahiplerden biri diğerinin tüm itirazlarına rağmen sırtlayıp suya girmiş ve karşı kıyıya geçirmiş kadını. Kadın böylece muradına ermiş olsa da, yardımsever rahip için yolun geri kalanı pek kolay geçmemiş. Çünkü tapınağa ulaşana kadar diğer rahibin eleştirilerini dinlemek zorunda kalmış.

Arkadaşı kadını taşımakla yasağa karşı geldiğini, bunun büyük bir günah olduğunu, bu hatasının asla bağışlanmayacağını tekrar tekrar söyleyip durmuş ona. Yardımsever rahip bunları dinlemekten o kadar sıkılmış ki, sonunda dayanamayıp "Yeter" demiş. "Ben kadını sadece beş dakika taşıdım. Oysa sen iki gündür sırtından indirmiyorsun."

Aşkla çıkılan o yolda, kadın ile erkek arasındaki şey zamanla yol arkadaşlığı olmaktan çıkıp ağır sözlerle, iri kin tohumlarıyla ve sabır taşlarıyla doldurulmuş bir çuvala dönüşüyor nedense. Kimin kimi taşıdığı meselesi de böylece çözümsüz kalıyor.

Yol arkadaşlığını bir yüke dönüştüren o sevimsiz şey ne olabilir?

Bu öyküyü bize aktaran arkadaşım, sözlerinin sonuna geldiğinde "İşte böyle" dedi. "Ben de kendime yük yaratmak, sonra da o yükü sırtımda taşımak konusunda çok yetenekliyimdir."

Budist rahiplerin kadına dokunmama kurallarına benzeyen erkek kurallarımızı düşündüm ben de. Kimin ne zaman koyduğunu bilmediğimiz kurallarımızı. Yazılı olmayan, ama göz yaşartıcı bir inatla itaat ettiğimiz kuralları.

Erkekliğin doğasında olduğunu varsaydığımız, çoğu zaman da iç tembelliğimizle gayet iyi uyuştuğundan daha da benimsediğimiz...

Bu kurallar duygularımızı göstermeyi yasaklıyor bize. Sevgilimizle uluorta öpüşmeyi, sabah uyanır uyanmaz sevişmeyi, birlikte eski bir Turgut Uyar şiiri okuyup gözyaşı dökmeyi bize çok görüyor. Küçük ve kolay bir bakışla bile sevdiğini anlatamayan, aşkına bakım yapmaktan âciz, hafta sonları bira içip maç seyretmekle görevli o yaratıklardan biri haline geliveriyoruz.

Hayat insanı o tatsız noktaya taşıyor, biz farkında olmadan.

Kadınlardan bizi taşımalarını bekliyoruz sonra da. İletişimsizliğin ve biranın şişirdiği gövdemizi sırtlayıp bizi hayatın nehrinden tekrar tekrar geçirsinler istiyoruz.

Unutuyoruz çünkü: aynı nehre iki kez giremiyor aynı insan. Nehir değişmese bile insan değişiyor çünkü. Duyguları değişiyor. Ruhu değişiyor.

Bir de bakıyoruz hayatın dalgaları yola birlikte çıktığımız kadını değiştirip bambaşka biri yapmış.

Üstelik asıl yük bizde aslında. Aşkımızdan geriye kalanlarla doldurduğumuz çuvalı sırtımızdan indiremiyoruz. Öyle bir çuval ki bu, bir köşeye bırakılıp kaçılamıyor. Nehre fırlatıp atılamıyor. İlişki bitene kadar çaresiz taşıyacağız; kendi sonunu simgeleyen çarmıhı omuzlarında taşıyan İsa Peygamber gibi.

Oysa yardımsever rahibin yaptığı ne kadar kolay görünüyor aslında...

Yol arkadaşımızı sırtlayıp beş dakikada karşıya geçirivermek ne kadar zahmetsiz, ne kadar hafif.

Üstelik öyküdeki rahibin yaptığının gerçek hayattaki karşılıkları çok daha küçük. Ufak bir gülümseyiş, biraz özen göstermek, aşka her sabah fırından gelmiş bir un kurabiyesi gibi taze gözlerle bakmak...

Bunlar sevdiğimizi sırtımıza alıp nehri beş dakikada geçmemize yetiyor işte. O zaman nehrin hırçın dalgaları da, acımasız akıntısı da gerilerde kalıyor.

Zaten sevgiliyi taşımak, din taşımaya benziyor bazen; ikisi de bize cennetin kapılarını vaat ediyor. Öyküdeki rahiplerin tapınağa ulaşmak için dağa tırmanması gibi, biz de yüreğimizdeki aşk tapınağına varmak için dere tepe düz gidiyoruz.

Sevgiliyi taşımak, bir kayayı ite ite dağın zirvesine çıkarmaya da benziyor. Tam zirveye gelmişken kaya büyük bir gürültüyle yeniden iniyor aşağı. Bize düşen de arkasından tıpış tıpış inmek ve işe yeniden başlamak. Bu çabanın dışarıdan çok hüzünlü göründüğünü bilsek de vazgeçemiyoruz.

Sevgiliyi taşımak, bir giysiyi taşımak gibi; şık takımların yaptığını yapıp bizi olduğumuzdan daha çekici gösterebiliyor sevgililer. Onlarla yara izlerimizi örtebiliyor, kusurlarımızı gizleyebiliyoruz.

Tek fark, elbisenin çok daha az bakım istemesi.

Aşkımızın sık sık tozunu almaz, onu en iyi koşullarda saklamazsak, ağır bir yüke dönüşmesi işten bile değil. O zaman birbirimizi değil, aşktan geriye kalanları, hüzün ve umutsuzlukla ağırlaşmış o tatsız şeyi sırtlamış oluyoruz. Kurallara uyma merakımız bizi beş dakikalık bir yolculuk yerine uzun ve anlamsız bir hamallığa mahkûm ediyor.

Kimin kimi taşıdığıysa önemli olmuyor artık. İkimizin omuzları da çok ama çok ağrıyor.

"Sıradan" Bir Konu: Sevgi

Üniversitedeyken yakın bir arkadaşıma Gasset'in *Sevgi Üstüne* adlı kitabını tavsiye etmiş ve ağzımın payını almıştım:

"Aman, yine mi o kitaplardan!"

"O kitaplardan" ben de çok sıkılmıştım gerçi. Hatta "sevgi" kelimesinin kendisi bile artık bayık bir hal almıştı. İlginç olmak, entelektüel ya da cool takılmak isteyen birinin pek işine yaramazdı. Burun kıvırdığımız pop şarkılarında tekrarlana tekrarlana içi boşalmış, saçma sapan bir şey haline gelmişti.

Gelen vuruyor, giden vuruyordu sevgiye. Gasset'in güzel kitabı da arada güme gitmişti işte.

Sevgiyi daha çok "içtenlik"le bağlantılı düşündüm hep. Sanırım ikisi ortak bir kaderi paylaştığı için. İçten olmak, yani insanların karşısına zırhlara bürünmeden çıkmak da günün modası tarafından fena halde dışlanmıştı.

Bazı kavramlar, kullanılmaya kullanılmaya unutuluyor. Bazıları da kullanıla kullanıla.

"Sevgi" ve "içtenlik"in başına gelenler daha çok ikinci türden. Çok duyduğumuz için onlar hakkında az düşünüyoruz. Bu yüzden yavaş yavaş yabancılaşıyorlar bize. İşin kötüsü, hep yanı başımızda olduklarını sandığımız için yokluklarının neye mal olduğunu, bıraktıkları boşluğun büyüklüğünü de fark edemiyoruz.

Baba yazar Milan Kundera'nın *Ayrılık Valsi* romanını yeniden okurken düşündüm bunları. Hani beş altı yılda bir yeniden okunması gereken kitaplar vardır. Her defasında yeni bir tat alırsınız. Bu da öyle bir kitap.

"İçtenlik kişinin kendini tanımasını gerektirir" diyor, romanın kahramanlarından Bertlef, tazecik bir fıstık olan Olga'ya. "Kişinin kendini tanıması da yaşın ürünüdür. Ama sizin gibi gençlikten pırıl pırıl parlayan bir kadın nasıl içtenlikli olabilir? İçtenlikli olamaz, çünkü içinde ne olduğunu bile bilmez."

İtiraf edeyim, beş yıl önceki okuyuşumda görmemişim bu paragrafı. Çünkü o zamanlar ben de Olga'nın tarafındaydım. Gençlikten pırıl pırıl parlıyordum ve içtenlik ya da sevgi gibi bayat kelimelerden çok daha önemli işlerim vardı.

Bazı insanlarda görüp de kıskandığım şeyin içtenlik olduğunu anlayamayacak kadar yoksundum sevgiden.

Yoksundum, çünkü ona sahip olmak için hiçbir şey yapmıyordum.

Yapmıyordum, çünkü ona zaten sahip olduğumu sanıyordum.

İçinde sevgi kelimesi geçen yüzlerce şiir, yazı ve roman okumuştum. Artık kılımı kıpırdatmasam da olurdu.

Dünyanın en eski ve belki de en önemli konusu olan kadın-erkek ilişkilerinde de aynı hata yapılıyor. Bir kere sahip olduktan sonra ihmal ediyoruz beraber olduğumuz insanı. Onu tekrar tekrar tavlamamız gerektiğini unutuyoruz. Bir gün çekip gittiğinde yaşadığımız şok işte bu yüzden.

Ona sahip olduğumuza o kadar emin oluyoruz ki, uçup gidiverdiğinde gözlerimize inanamıyoruz. Resmen feleğimiz şaşıyor.

Tetikte olmak lazım demek ki.

Sevgiyi her gün yeniden öğrenmek, açıp sözlüğe bakmak lazım. Onun hakkında sık sık düşünür ve duygularımızı tazelersek kendimizi kurtarabiliriz belki. Yoksa o kurtarır kendisini bizden, uzaklaşıp gider.

Rahatça "güle güle" diyebilir miyiz peki?

Diyenlerin halini görüyoruz. Her sabah donuk bakışlarla işlerine, okullarına giden binlerce insan var. Haberleri istemeye istemeye okuyan spikerler, topa lütfen vuran futbolcular, çayı önümüze döver gibi koyan garson kardeşlerimiz var.

Kim bilir nasıl da zorlanıyorlar işlerini yaparken. Atacakları her adım gözlerinde nasıl da büyüyor.

Aslında onlar da bir şeylerin ters gittiğinin farkında. Sadece adını koymakta zorlanıyorlar. "Geçim sıkıntısı" diyorlar bazen. Alınamayan bir terfiyi bahane ediyorlar. Havanın bulutlu olmasına, kaçan üç puana, geçmek bilmeyen bir sivilceye bağlıyorlar olayı.

Hayat sevgisinin yokluğu o kadar büyük bir şey ki, insan onu ilk bakışta göremiyor. Gözlerimiz o karanlığa alışacak önce. Sonra el yordamıyla ilerleyip içimizdeki o küçük ışığı, sönmemekte direnen mumu bulacağız.

Başta ne kadar "banal" gelse de, ellerimiz işimize sevgiyle sarılacak. Gözlerimiz sevdiğimize o gün başka türlü bakacak.

Yoksa sivilceler de geçer, terfiler de alınır, tuttuğumuz takım da herhalde er geç toparlar kendini.

Ama sevmeyi unutmuşsak, kalbimizi boğan o karanlık çekip gitmez üstümüzden.

Ayışığı Düğün Salonu

Büyük depremden sonra Adapazarı'nda yapılan ilk prefabrik yapılardan "Ayışığı Düğün Salonu".

Tek kelimeyle şaşkın bir yer. Daha doğrusu, yeni güzelliklere şaşırabilme ihtiyacının naçiz bir ifadesi.

Hayatın sürüp gittiği duygusu. Kendimizi bu duyguya alıştırma ihtiyacı. Bu duyguyla sarhoş olup yaraları unutma isteği.

Bu arzuyla âşık olmak, bu arzuyla evlenmek. Depremlerle sarsılmış, köklerini yitirmiş iki hayatın prefabrik bir düğün salonunda birleşivermesi. Salondaki plastik masalar. Kutu meyve suyu ve pasta servisi.

Muhafazakârlığı bile muhafaza ihtiyacı. Bir gün her şey düzelene kadar. Her şeyin düzeleceğine duyduğumuz o sarsılmaz inanç. 17 Ağustos tarihinde düğün yapılmaması. Hiç.

Ama depremdir, olur. Evdir, yıkılır. Aşktır, biter. Hayattır, alır bizi pençesine. Bütün kalelerimiz hüzün tarafından zapt edilmiş, umutsuzluk bütün tersanelerimize girmiş, ruhumuz yoksulluk içinde harap ve bitap düşmüş olabilir.

Daha elim ve vahim olmak üzere, kalbimizin dahilinde iktidara sahip olan duygu, o güne dek emsali görülmemiş bir karanlığı salabilir üstümüze.

İşte bu ahval ve şerait içinde dahi prefabrik bir düğün salonunun tabelasına bakıp gülümsemek. Yıkıntıların arasında sapasağlam mizah gücü. Düğün salonunda başı yanacak gençler için gizli kadeh kaldırmak. Dönüşte aynaya bakmak uzun uzun. Aynadaki görmüş geçirmiş insan için ilk defa üzülmek. Dayanma gücümüzün bizi şaşırtması.

En büyük yıkımdan sonra hayata bir çocuğun şaşkın gözleriyle bakabilme arzusu. O bakışı yitirmemek için duyulan istek. Şaşkınlığın koruyuculuğuna sığınmak.

Şaşkınlığın koruyuculuğu. Ruhumuzu sararak bizi kanıksamaktan, hayata küsmekten, yetişkinlikten koruması. Şaşırdıkça hayatın çocuk gözümüzde yenilenebilmesi. Yeni evlenmiş bir gencin yüzündeki o pişmanlığa benzer şaşkın ifade. Aşkın icabında Marmara Depremi kadar etkili olabilmesi.

Ne yazık ki duygularımızın sarsıntılarını ölçen bir gereç yok daha. Şaşkınlığımızın şiddetini öğrenebilseydik anlardık belki hayata karşı ne kadar âciz ve savunmasız olduğumuzu. O zaman da önemli sandığımız şeyler daha az önemli, acil sandıklarımız daha gereksiz görünürdü gözümüze. Yıkıntıların ortasındaki bir prefabrik yapıyı düğün salonu olarak kutsayan insanların yaşama arzusu bize daha yakın gelirdi. Şaşırmanın bir yetenek olduğunu bu sayede hatırlardık.

Şaşırmanın bir yetenek olması. Bu yeteneği sonsuza kadar yitirmiş olan insanlar. Hayatta hiçbir şeye şaşırmayacakmış gibi bakan, gözkapakları her daim inik olanlar. Onlardaki şaşırma eksikliği. İnsanlarının yüzündeki "böyle gelmiş böyle gider" tebessümü. Yüreğimizden yaşama sevincini söken bu tebessümün depremde bile ayakta kalabilmesi. Buna alışkın bir toplumun depremler ve yoksullukla bir kez daha sınanması.

Ayışığı Düğün Salonu'nda bir düğün sahnesi hayal etmeye çalışmak.

Bunun şaşılacak kadar zor olması. Boş boş bakmak kâğıda. İnsanın o anılardan uzaklaşmış olduğunu anlaması. Sonra yavaş yavaş beliren bir görüntü: plastik masalarda oturan başörtülü teyzeler, dalgın bakışlı damadın boynunda uzun, kırmızı kurdele. Koşturan hayat şaşkını çocuklar. Dışarıda her tarafı kasıp kavuran ağustos ayının ardından başlamış, merhametli bir sonbahar.

Yeniden bir şeylere şaşırmak isteyen insanlar. Hayatın kendisi dışında hiçbir şey gözlerini kocaman kocaman açtıramaz, içlerindeki enkazı kaldıramaz onların.

Şaşırmanın güzelliği. Tam hayatı çözdük sanırken yüreğimizde esen ters bir rüzgârla dağılmak yeniden. Küçük bir tebessüm ya da kaçamak bir bakışla içimizin kamaşması. Uyuklayan duygularımızın ayağa kalkıp bize meydan okuması. Şaşkınlığın ruhumuza verdiği tazelik.

"Şaşırıyorum, öyleyse varım" diyen sesi bir ahir zaman insanının.

"Şaşırmaktan korkmuyorum" diyen çığlığı, gözleri fal taşı bir çocuğun.

Sonra sokağa çıkmak, kedilere, düğün salonlarına, rastlantılara, şanssızlıklara, kavuşmalara, sevişmelere ve arabalara şaşırmaktan korkmadan bakmak. Hayatın küçük bir detayla bizi bir sürü şeyin içine atması.

Hayatı bir sürpriz gibi yaşamak. Köşeyi dönüyorsunuz ve hayatınızın aşkı karşınıza çıkıveriyor. Bakın; kalbinizin yıkıntıları arasında özenle süslenmiş bir mekân ışıklarını yakıp söndürmeye başladı bile.

"Ayışığı Düğün Salonu"na hoş geldiniz!

Önyargının Faydaları

1- Ömrü uzatır

Araştırmalar, her konuda en az bir önyargı sahibi olan insanların daha uzun yaşadığını ortaya koyuyor.

Nedenleri hakkında çeşitli varsayımlar var. Birleşilen noktaysa şu: önyargı sahibi olmamak çok yorucu bir şey. Resmen ömür törpüsü. Her konuda düşünerek karar vermek fazla miktarda sabır ve enerji gerektiriyor. Bir insan hakkında düşünce üretmek için onu tanımak zorunda olmak, bir kitabı değerlendirmek için oturup yüzlerce sayfa devirmek şu üç günlük dünyada uğraşmaya değmeyecek işler.

Oysa iyi bir önyargının bizi bütün bu zahmetlerden kurtardığını söylemeye gerek var mı? Önyargı zırhını kuşandık mı gerçekliğin okları bedenimize işlemiyor. Biz de uzun yıllar boyunca, mutlu bir yaşam sürüyoruz.

2- Gözleri kuvvetlendirir

Önyargısız insanlara bir bakın; çoğunun gözlüklü olduğunu göreceksiniz. Rastlantı olabilir mi? Lütfen komik olmayalım. Özgün bir düşünce için dökülmesi gereken göz nurundan haberiniz var mı?

Önyargı özürlü insanlar genellikle geceleri ışıkları en son sönen, yastığa başını en geç koyanlar oluyor. İnsanda göz möz kalmıyor yani.

Oysa yaşamını önyargılarla donatmış gözlerde bir kartal keskinliği ve fosforlu bir parlaklık olduğunu, dikkatle bakınca görebilirsiniz.

Göremezseniz de üzülmeyin, canınız sağolsun.

3- Kalbi korur

Bir insana karşı önyargı sahibi olmamak için onu tanımanız gerekir. Bu karşılıklı bir ilişkidir üstelik; yani onu tanımak için de önce önyargılardan kurtulmamız lazım.

Hiç kuşkunuz olmasın; bir insanı tanımak, şu dünyada olabilecek en yorucu işlerden biridir. Hatta uğruna ömrünü harcadığı kişiyi bile tüm yönleriyle tanıyamamış olduğunu fark edebilir insan (kocasının aslında nasıl bir adam olduğunu o emekli olduktan sonra anlayan az mı kadın var).

Ayrıca, bütün gerçek ilişkilerde olduğu gibi, burada da insanın ortaya kalbini koyması âdettendir. Kalp ortaya kondu mu, işleyecek demektir. "İşleyen demir paslanmaz" sözü, her kalp için geçerli değildir. Özellikle işlemeye alışkın olmayan kalpler çok kolay bozulurlar. Devreler iflas eder, kablolar birbirine dolanır.

O yüzden, kalplerini daha önce pek kullanmamış olanlara tavsiyemiz: bu saatten sonra bu işe kalkışmasınlar. Önyargılarıyla iş görmeye devam etsinler.

4- Cinsel gücü artırır

Kadınların yalnızca "seks objesi" olduğu düşüncesi, eski bir önyargıdır. Kadınlara başka türlü yaklaşan erkeklerin şanslarını hızla yitirdikleri de İsviçreli bilimadamları tarafından sık sık gözlemlenmiştir.

Eğer kadınlara kazara "nesne" değil de "özne" olarak davranır, öyle olduklarını hissettirirsek, başımıza gelmeyen kalmaz.

Bir kere yatak performansı dışında da uğraşmamız gereken şeyler ortaya çıkıverir: karşımızdaki artık gerçek bir insan olduğu için korkuları, tedirginlikleri ve sevinçleri de olacaktır. Cinsellik amacıyla kurduğunuz ilişkinin bu duygular tarafından işgal edildiğini şaşırarak görebilirsiniz. Hatta cinselliğe sıra gelmeyebilir bile.

Sonuçta sevgilinizle bütün gece sohbet ederken bulabilirsiniz kendinizi. Bunun nasıl bir duygu olduğunu, takdirinize bırakıyorum.

5- Huzur verir

Çelişkilerden arınmış bir yaşamı kim istemez. Kim elinde olsa kafasına tokadan başka bir şey takmadan, tatlı tatlı yaşayıp gitmeyi seçmez. İşte bu masum arzuya bizi taşıyacak şey önyargıdır. Önyargı, birbiriyle çelişen görüşlerin etkisi altında kalmamızı engelleyici özelliği sayesinde, ruhumuzu sağlıklı ve diri tutar.

Eğer yeterince önyargı sahibiysek, fazla ince düşünmekten de kurtulmuşuz demektir. Aslında önyargılarımızı gerektiği gibi kullanacak olursak, düşünme eyleminden temelli kurtulmamız bile işten değildir.

İşe Nâzım Hikmet'in "vatan haini komünist", Avrupa Birliği'nin "Hıristiyan kulübü", kedilerin de "nankör" olduğunu düşünerek başlayabilir, sonra düşünce yapımızı seyrelte seyrelte mutlak bir boşluğa ulaşabiliriz. Doğu düşüncesindeki Zen öğretisini tersten kurarak çıktığınız bu yolculuğun sonunda artık ne Nâzım Hikmet, ne Avrupa Birliği ne de komşunun kedisi hakkında tek bir düşünceye bile sahip olmadığınızı şaşırarak görecek, ruhunuzu sonsuza kadar huzura kavuşturmuş olmanın derin hazzını yaşayacaksınız.

6- Formda tutar

Önyargılar gündelik hayatta oyundan düşmemizi önler. Onlar sayesinde olayların yüzeyinden ve hızla gidebiliriz. İş yaşamının ve maddî hesapların gerektirdiği manevra yeteneğine bizi ulaştıran da önyargılarımızın damarlarımıza pompaladığı enerjidir.

Bütün filmler, kadınlar, kitaplar ve siyasetçilerle ilgili sarsılmaz önyargılar edinmiş birini gözünüzde canlandırın: bu donanımı yenmeye kimin gücü yeter. Hangi çılgın onunla toplantı masalarında boy ölçüşmeye, patronun yanında üste çıkmaya kalkar.

Emin olun; formumuzu borçlu olduğumuz önyargıların ne işe yaradığını araştırmak kimsenin aklına gelmeyecektir. Biz de bu sayede kendimize bir aura yaratabilir ve onun içinde güvenle yol alabiliriz.

Görüldüğü gibi, önyargıların yaşamımıza katkısı tartışılmaz. Öte yandan, bugünlerde küçük yan etkilerinin gözlemlendiği de söyleniyor: "cehalet sıtması" ya da "yüzeysellik sendromu" gibi. Ama Sağlık Bakanlığı bu konuda henüz bir açıklama yapmadığından, hepsinin yalnızca dedikodudan ibaret olduğunu ve önyargıların yaşamımıza çeşitli güzellikler kattığını söyleyebiliriz

Kış Kimin Umurunda

Hafızada güneşli bir resim. Demek ki aylardan mayıs falanmış. Okul bahçesinde oğlanlar ile kızlar cinsiyetlerine göre iki takıma ayrılıp kovalamaca oynarken göz göze gelmişler. Daha doğrusu bu göz teması, gariban Muzaffer'in gözüne giren parmak sayesinde olmuş.

Kovalama sırası kızlardaymış o sırada. Kızların en hızlı koşanı oğlanların en yavaş koşanı olan şişman Muzaffer'in önlüğünden yakalar gibi olmuş.

Bizim delikanlı da arkadaşını Amazonlardan kurtarmak için atılmış. Onun bu kahramanca hareketi, işaretparmağının Muzaffer'in gözüne saplanmasıyla sonuçlanmış. Bizim oğlan ile avcı kız korku içinde bakışmışlar. Çünkü kendini yere atan Muzaffer korkunç sesler çıkarıyormuş. Bu sesleri duyanlar da çevrelerinde halka olmuşlar.

Çocuklar arkadaşlarının başına gelen en küçük bir felaketten bile zevk almayı bilir. Bu yüzden hepsinin gözü yerde çırpınan şişman Muzaffer'deymiş.

Ama onun gözüne kan oturmadan bizim oğlan ile kızın bakışları değişivermiş. Birbirlerine gizli bir hazineyi bulmuş gibi bakıyorlarmış şimdi.

Bundan Maçka'daki terastan Boğaz'ı seyreden konservatuvarlı delikanlının haberi olmamış ama.

Terası inleten müziğin gürültüsünden insan ne düşündüğünü bile duyamıyormuş.

Bizim oğlan konservatuvarda obua çalıyormuş ve o gece üstünde salak bir takım elbise varmış. Gerçi içinde bulunduğu durum hayatında hiç obua çalmamış olsa bile gayet sıkıcıymış: bu partide onun dışında herkes birbirini tanıyor gibiymiş.

Durmadan bangırdayan techno aynı geyiklikle sürer, bizim obuacı kendisini buraya getirdikten sonra arazi olan arkadaşını öldürmek için planlar kurarken ona rastlamış.

Kız birkaç yıl öncesine kadar tiyatro bölümünün prensesiymiş. Daha üçüncü yılında dizilerde oynamaya, magazin sayfalarında görülmeye, uyuşturucuyla yakalanıp karakollarda sabahlamaya başlamış.

O kadar yetenekliymiş ki, öğretmenleri onu okuldan atmadan defalarca uyarmak zorunda kalmışlar. Obuacı birkaç yıl önce okuldaki herkesin rüyalarını süsleyen, saçını savurduğu zaman sınıfları dalgalandıran kıza merakla bakmış.

Bir zamanlar bütün erkekleri rüya âlemlerine taşıyan kısraktan eser yokmuş şimdi. Tiyatro bölümünün prensesi yıpranmış ve hastalıklı bir hayalet olarak duruyormuş karşısında.

Obuacı ona bunu yapanlara karşı hem büyük bir öfke hem de derin bir minnet duymuş. Gayet medenî bir şekilde uzanıp yakmış sigarasını kızın. Ona artık rahat rahat âşık olabileceğini, kimsenin kendisiyle rekabet etmek istemeyeceğini bir obuacının hassas sezgileriyle anlamış çünkü.

Altı yıldır huzurevinde kalan Levon Bey'se bacakları çabuk yorulduğu için şikâyetçiymiş.

Yine de yaklaşan Paskalya için bazı planları varmış. Şunu düşünüyormuş Levon Bey; eğer yumurtaları gerektiği kadar güzel boyar, doğru sözcükleri bulursa yıllardır odasından çıkmayan Karin Hanım'ı bahçede küçük bir yürüyüşe belki razı edebilirmiş.

Küçük oğlu da Amerika'ya gittiğinden beri tek bir ziyaretçisi kalmamış olmasına rağmen o sabah herkesten önce uyanmış. Uzun zamandır el sürmediği kırmızı bavulu açıp takım elbisesini çıkarmış.

Aynanın karşısında gençlik günlerindeki kadar çok zaman geçirmiş. İki sokak yukarıdaki çiçekçiden kendisi adına bir demet gül satın alan hastabakıcıya bahşişini vermiş ve heyecandan titreyerek çalmış kadının kapısını.

Cevap veren olmamış.

Kapıyı itip girdiğinde Karin Hanım'ın odasını bu kez boş, her zaman giydiği hırkayı ilk defa ayakucunda katlı bulmuş.

Hırkaya uzaklaşan ve bir daha asla göremeyeceği bir gemiye bakar gibi bakarken umutsuzluğa kapılmış.

O sırada kapıda bir hastabakıcı belirmiş. Belli belirsiz gülümseyerek bahçeyi göstermiş ona. Levon Bey yaşlı kadını bir dut ağacının yanında, kuru dallara bakarken görünce gözlerine inanamamış.

Kadın yıllardır ilk defa odasından çıkıyormuş çünkü. Üstelik üzerinde çok güzel bir balo kıyafeti varmış.

Levon Bey'i fark edince ürpererek "Ne dersin Levon?" demiş. "Bu kış çok mu soğuk geçiyor ne?"

Levon Bey paltosunu çıkarıp kadının omzuna koymuş.

"Kimin umurunda Karin" demiş, kalbinin sevinçten çatlayacağından korkarak. "Kış artık kimin umurunda."

O Meşhur On Beş Dakika

Konserve kutularını üstü üste dizip pop çağının ipliğini pazara çıkaran Andy Warhol'un sözünü çoğumuz biliriz:

"Bir gün herkes 15 dakikalığına şöhret olacak."

Bu sözü benim zihnimde hep meşhur bir hocamızın aforizması tamamlar: "Şöhret kenar mahalle kızlarının rüyasıdır".

Benim "kenar mahalle kızları"yla en küçük sorunum yok. Ama hocanın sözü acımasızlığının yanında doğruluk payı da taşıyor. Şöhret arzusu gelişimini henüz tamamlamamış, kendisine yetecek olgunluğa erişememiş dünyalılara ait bir tutku.

Daha doğrusu, hepimizin içinde ara sıra rastlanan o kenar mahalle dilberinin tutuşturduğu bir ihtiras.

Sonuçta dünya da koskoca evrende bir kenar mahalle değil mi?

Goethe'nin ölümsüz eserindeki Doktor Faust mesela. Şeytan sözleşmede belirtilen tarihte ruhunu almak için uğradığında Faust'un yaşadığı pişmanlık insanoğlunun yüzyıllardır kendisine sorduğu sorulardan birini yaratmış.

İnsan ruhunu şeytana gerçekten satabilir mi?

Soruyu biraz daha sinir bozucu hale getirmek de mümkün aslında. Fırsat bulsa aynı sözleşmeyi imzalamayacak kaç kişi var?

Benim bu soruyla karşılaşmam, çocukken izlediğim, Faust'u popüler hale getirmiş bir Hollywood filmi sayesinde oldu; başarısız bir şarkı yazarı şöhret karşılığında ruhunu şeytana satıyordu. Şeytan da buna karşılık genç adamdan bir rock yıldızı yaratıyordu. Hatırladığım kadarıyla gayet dandik bir filmdi. Ama senaryonun temelindeki soru o kadar yamandı ki, aklımdan uzun süre çıkmadı.

Çoğu insanın kendisine en az bir kez sorduğu soruyu ilk o zaman keşfettim: "Rock yıldızlığı teklif edilse ruhumu satar mıyım?" Ve herkesin tereddütsüz vereceği cevabı verdim hemen: "Hayır."

Ama alçak soru lisede ikinci kez musallat oldu bana. Üstelik bu kez daha derin ve çok daha cazibeliydi. Gerçek Faust'u okumuştum çünkü. Hem artık söz konusu meşhur olup sarışınlarla yatmak isteyen bir zibidi değildi. Evrenin sırlarına varmak isteyen koskoca bir bilimadamıydı.

Kitapları klasikleştiren şeyi de zaten bu sayede keşfettim. Onlar insanoğlunun bir türlü çözemediği düğümleri inceliyor, cevaplanamayan soruları derinleştiriyorlardı.

Aynanın karşısına geçip kendimi bu kez Faust'un yerine koydum ve sordum soruyu.

Cevabım yine gurur verdi bana: "Hayır."

Yıllar sürecek bir rock yıldızlığı kariyerinden sonra evrenin sırlarına ömür boyu sahip olma şansını da gözümü kırpmadan reddetmiştim işte.

Sonra Andy Warhol bu soruya kara mizah kattı. Demek ki insanlık Faust'u çoktan aşmış, on beş dakika sürecek bir şöhret için bile ruhunu satacak hale gelmişti. İnsan ruhunun fiyatındaki bu büyük indirim, şeytanî zekâya sahip bir sanatçı tarafından saptanabilirdi ancak.

Otuzlarıma yaklaşırken, dünya bir on beş dakikalık şöhretler çöplüğüne dönüşmüştü bile. Millet şöhret için sokak ortasında soyunuyor, televizyonda rezalet çıkartıyor ve özel hayatları ifşa eden kitaplar yazıyorlardı. Sistem bu gerçeğe göre derhal yeniden şekillenmişti. Hepimizin ruhunda saklanan saf kenar mahalle kızlarını tek tek avlayıp sömürdükten sonra bir köşeye atmaya başlamıştı.

Sonra buna ev içinden naklen yayın yapan programlar da eklendi. Konserve kutularından tablolar yaratan adam da sadece bir sanatçı olmaktan çıkıp çoktandır hak ettiği kâhinler katına yükseldi böylece.

On beş dakika süren şöhretlerin bir kötü tarafı da, hesaplaşma anının çabuk gelmesi. Bunu yaşayanların, şeytan efendiyle son pazarlığı yapmak için ömür boyu beklemek gibi bir lüksü yok.

Skandalların izleri yenileri tarafından siliniyor, yarışma birincilerini bir süre sonra kimse hatırlamıyor, güzellik kraliçelerinin taçları tarihin acımasız fırınında tek tek eritiliyor...

Süre dolduğu zaman spot ışıkları kapanıveriyor ve gözleri sonsuza kadar kamaşmış, eski hayatına uyum sağlamakta güçlük çeken bir insan yığını büyüyor hızla.

Günümüzde ruh sağlığını yitirmek istemeyen heveslilerin, şöhret denen yılanın uzattığı elmayı dişlemeden önce kendilerine sormaları gereken soru şu belki de:

"On altıncı dakikaya hazır mıyım?"

Otomobilleri Çok Seviyorum

Bizim Levent'in orta yerinde yıllardır niye durduğuna şaştığım, ağaçlık bir alan vardı. Şaşıyordum, çünkü yaşadığımız kentin mantığına göre o ağaçların çoktan kesilmiş olması lazımdı. Alan da otoparka dönüşmüş olmalıydı tabiî.

Şöyle renk renk otomobillerin sıralanacağı güzel bir "showroom". Kapısında gelip geçeni kesen karanlık tiplerin durduğu, klasik bir otopark.

Kim istemez?

Şehrin tarihî kısımlarındaki evler bile otoparklara yer açmak uğruna yanıp kül olurken, bizim burada direnen bir yeşil alan olması aklımı karıştırıyordu.

Allah'tan sonunda fark ettiler bu yanlışı.

Bir gün erkenden dozerler geldi. Yeşil namına ne varsa iki günde yok ettiler, biz de rahat ettik.

Yere beyaz beyaz çakıl taşları döktüler sonra. Şimdi o alan otomobillere hizmet veriyor. Pencereden baktığımızda yeşil yerine kaportaları kış güneşiyle parlayan arabalar görüyoruz.

Hak yerini buldu yani. Neydi öyle orman gibi yeşillik şehrin ortasında! Hiç yakışıyor muydu?

Şaka bir yana, araçların yabancılaşarak amaca dönüşmesine günümüzde verilecek en somut örnek, herhalde otomobil. İnsanoğlu otomobili zamanında hayatını kolaylaştıracak bir araç olsun diye icat etmiş. Sonra da kendi yarattığı bu tanrıdan o kadar etkilenmiş ki, ona tapmaya başlamış. Haliyle, günümüzün otomobillerine "araç" demek nereden baksak biraz masumane kaçıyor. Pek çoğumuz için onlar hayatın başlıca amaçlarından biri çünkü.

İnsanlar otomobillerine göre sınıflandırılıyor, sosyal statüleri otomobillerinden soruluyor, hatta bazılarımızın cinsel hayatı bile otomobillerine bağlı. Sosyetik sevgili edinmek istiyorsanız, cipiniz olacak. Cipi olmayanlara iktidarsız muamelesi yapılıyor. "At-avrat-silah" mantığı yani. Atın yerini otomobil almış.

Hal böyle olunca, büyük şehirlerin yaşam alanları da insanlara değil, otomobillere göre biçimleniyor. Evlerin birbirine olan uzaklığı, köprülerin yüksekliği, alışveriş merkezleri falan hep otomobillerin rahat edeceği şekilde ayarlanıyor.

Mahalle arsaları insanların nefes alacağı yeşil alanlara değil, otoparka dönüştürülüyor. Eğer mahallede arsa yoksa, evlerden bir ikisi yakılarak gerekli alan sağlanıyor otoparklara. Tarihî değeri olan pek çok binanın bu amaçla yok edildiği, hepimizin malumu.

Bunları gördükçe, otomobillerin canlı ve bilinçli varlıklar olduğundan kuşkulanıyorum. Belki de *Matrix* filmindeki makineler gibi, bize hükmediyorlar aslında. Bizler de artık onların çöplüğüne dönüşmüş bu dünyada birer sığıntı gibi yaşayıp gidiyoruz.

Hindistan'daki inekler gibi kutsallığı var otomobillerin. Her şey onların etrafında pervane.

Hayal bu ya; bazen de bizi cezalandırdıklarını düşünüyorum. Dünyanın her yerinde ve her gün, binlerce insan otomobiller tarafından ezilerek can veriyor. O şanssız insanlar hakkında bir araştırma yapmak yararlı olabilir. Geçmişlerinde otomobillere gerekli saygıyı göstermemiş oldukları ortaya çıkarsa hiç şaşmam.

Yanlışlıkla birinin aynasına çarpmışlardır belki... Belki de küçükken birinin antenini kırmışlardır... Kim bilir?

Tabiî bizler de yaşamamıza izin verdikleri için onlara minnet borçluyuz. Günü geldiğinde bu minnetimizi gösterme uğruna onlardan yana tavır almak zorunda kalabiliyoruz.

Kente nefes aldıran ağaçları kestirmek, efendilerimiz rahat etsin diye Kordon'a ve Moda sahiline beton dökmek, göz zevkini mahveden viyadükler yapmak ve otomobillerin iktidarı zeval görmesin diye demiryollarını çürümeye terk etmek, söz konusu minnet borcumuzu ödemenin yollarından birkaçı sadece.

Gerçi işgüzar Batılıların saygısızlık yaptığına tanık oluyoruz bazen. Gerçek "hızlı tren" yapıp insanları ona binmeye özendiriyorlar mesela. Üstelik o kadar konforlu oluyor ki bu trenler, aynı yolu otomobille almak gelmiyor içinizden. Her Batı kentinin altında örümcek ağını andıran birer metro olması da cabası. Resmen otomobillerin egemenliğini sınırlamaya çalışıyor adamlar.

Ama onları kızdırmamanın yolunu da bulmuşlar: yaptıkları otomobilleri bizim gibi milletlere satıyorlar.

Yani ayranı olmasa da her yere tahtırevanla giden milletlere.

Bu tahtırevan merakı da başımıza iş açıyor sık sık. Ayransız kalan beynimizde tuz eksikliği baş gösteriyor ve bu da trajik kazalara neden oluyor. O zaman da gerçek nedenlere eğilmek zahmetli geldiği için hayalî bir suçlu yaratıyoruz: "trafik canavarı" diye.

Çünkü bunu yapmazsak otomobiller tarafından cezalandırılmamız an meselesi.

Karşıdan karşıya geçerken imha edilebiliriz mesela. Üstelik böyle durumlarda cezayı otomobiller değil, sürücüler alıyor. Oysa o insanlar otomobilin hipnotize edip mideye indirdiği birer kurban sadece.

Bakmayın direksiyonda olduklarına, asıl otomobiller onları istedikleri yere götürüyor.

Ben de buradan bütün otomobilleri en derin saygılarımla selamlıyorum, neme lazım.

Kaplumbağa Terbiyecileri Aranıyor

Astronomik fiyata el değiştiren *Kaplumbağa Terbiyecisi* tablosuna her baktığımda, bir atasözünü hatırlıyorum.

"Pehlivanın kırk numarası vardır. Çırağına otuz dokuzunu öğretir."

Hadi bakalım.

Mesela *Kill Bill* gibi Doğu düşüncesine meraklı Batı filmleri hep aynı şeyi gösteriyor: çırakların canına okuyan ustalar var bu filmlerde. Bir gün su taşıtıyorlar zavallılara, bir başka gün saatlerce anlamsız bir hareket yaptırıyorlar.

Filmin sonunda belki öğreneceğini öğreniyor çırak, ama emdiği süt de burnundan gelmiş oluyor.

Aslında Batılı gözüyle bakınca korkunç bir iş. Rasyonel düşünceyle yetişen biri bu geleneğe saygı duysa bile çırağın yerinde olmak istemez pek.

Usta-çırak ilişkisi Doğu'ya özgü bir şey.

Bazen çırak buluyor ustayı. Babası onu elinden tutup tamirhaneye götürüyor mesela. Burada kız istemenin tam tersi bir "oğul verme" töreni yaşanıyor.

Kenardaki taburelere oturulup birer çay içiliyor önce. Sonra bir köşede sıkılmakta olan delikanlıya geliyor söz. O günden sonra eti ustasına, kemiği babasına ait oluyor çocuğun.

Tabiî et ve kemik başkasının olunca, tek şey kalıyor elde: ruh.

Çırağı yavaş yavaş ustalığa taşıyacak olan da bu belki. Ruhunu işlerse, ustalık daha çabuk gelebilir. İngiliz anahtarını kullanmayı öğrendiği gibi, ruhunu terbiye etmeyi de öğrenmesi lazım.

"Sanatsız kalan bir milletin hayat damarlarından biri kopmuş demektir" derken, Atatürk'ün "sanata" mı yoksa "zanaata" mı işaret ettiği merak edilir. Konu usta-çırak ilişkisi olunca, ikisi arasında çok fark yok aslında. Sanatçılar da ustalarını bulup el almak isteyebiliyor.

Sonra ustalar eğitiyor çıraklan; o kırkıncı numarayı kendilerine saklayarak.

Bazen de tersi oluyor, usta buluyor çırağı. Gençten biri sivrilip ustanın gözüne batıyor çünkü. Hatta çoğu zaman kendi yeteneğinin farkında bile olmayabiliyor bu genç. Aynen *Yıldız Savaşları* filmindeki Anakin gibi.

Hele söz konusu unutulan bir sanatsa, çırağın yükü daha ağır. Bir Karagöz oynatıcısı ya da bakırcı için sadece öğrenci değil o. Aynı zamanda soyun süreceğine dair bir umut.

Böyle durumlarda olay baba-oğul ilişkisine dönüyor bazen. Çırağın gözündeki baba imgesi yavaş yavaş ustayla yer değiştiriyor.

Baba-oğul ilişkisi dikensiz gül bahçesi değil. Ustanın gölgesi kimi zaman eziyor çırağı. İşin acıklı tarafı, çıraklığın sonu ustayla yaşanacak ayrılığa, bir kopuşa bağlı.

Takdir edersiniz ki her zaman kolay değil bu iş. Ustanın hakkını helal etmesi için çırağa "oldun" demesi lazım.

Çırak önce davranıp "oldum" derse, olmaz.

Kaplumbağa Terbiyecisi asıl bu yüzden hüzünlü işte. Kaplumbağalarına dalgın dalgın bakan o adamın kaderinde yüreğimizi burkan bir şey var. Tablonun yapıldığı dönemi düşünürsek, büyük ihtimalle bir çıraktan yoksun çünkü. Artık kimse oğlunu kaplumbağa terbiyecisi olsun diye onun yanına vermeyecek. Yüzlerce yıllık bir sanat, kaplumbağa hızıyla da olsa çekilecek sahneden.

Belki de kırkıncı numara şu: çırağın öğrendiği her şeyi kullanarak kişiliğini bulması, ustasını aşması. Bu öğretilebilir bir şey değil zaten.

Çırak onu kendi ruhuna baka baka keşfedecek..

Ama zavallı kaplumbağa terbiyecisi asla böyle bir şey yaşayamaz. O, ömrünü tamamlamış bir sanatın yalnız ustası çünkü. *Muhsin Bey* filminin kahramanı gibi, teselliyi geçmişte arayabilir ancak.

Osman Hamdi Bey'in tablosundaki yaşlı adamın bize sırtını dönmüş olmasının nedeni bu belki. Belki de küskün bu adam; kimsenin kaplumbağaları umursamadığı, jet hızıyla akan bir çağı görmek istemiyor.

Haksız değil üstelik. Çünkü özveri ve alınterinin de dışlandığı bir çağ bu. Bu çağda insandan insana bilgiden çok cehalet, sevgiden çok nobranlık geçiyor. Eski loncalar bir bir teslim oluyor ve ne ustanın ne de çırağın sözü ediliyor artık.

İçindeki ışığı canlı tutanları bekleyen de terbiyeli kaplumbağalar değil, terbiyesiz çakallar sadece.

Hafızam Bir Zayıflasa

Eskiden *Gırgır* dergisinin orta sayfasında, Bülent Arabacıoğlu'nun çizdiği tam sayfa karikatürler çıkardı. Aynı kompozisyon içinde onlarca tip ve konuşma balonu, neşeyle sıralanırdı.

Mesela koca bir mahalle olduğu gibi çizilirdi. Karikatürde o kadar çok espri ve detay olurdu ki, sayesinde en sıkıcı ders bile çabucak geçerdi.

Mesela, mahalle kahvesinde oturmuş bir halk filozofu tiplemesi hatırlıyorum. Yine *Gırgır* çizerlerinden Hasan Kaçan'ın şimdi bir TV dizisinde canlandırdığı tipe benziyor. Aynen şöyle diyor kahve arkadaşlarına: "Bu memleket iki şeyden çok çekti. Biri erozyon, öteki örovizyon."

Eurovision aslında tam böyle bir şey. İçinden gönlümüze göre hatıra çekebileceğimiz bir nostalji kuyusu.

Ne zaman onun hakkında konuşsak, falanca yıldaki filanca şarkıya, oradan o yılın modasına ve dizilerine seke seke gitmek mümkün. Tabiî, bize ister istemez eşlik eden bir "hey gidi..." duygusu eşliğinde...

Şaka maka, o zamanki halimizi de hatırlıyoruz çünkü.

Hani insan normalde nefret edeceği bir şarkıyı "hatırası var" diye sever ya bazen, Eurovision da işte öyle bir şey. Yüzlerce abuk sabuk şarkı yer ediyor beynimizde. Onları bir türlü unutamıyoruz. Format atamıyoruz akıl denen bilgisayara.

Gereksiz yere hatırladığımız çok fazla şey olduğuna, değerli kardeşim Ara Koçunyan'la yaptığımız bir yürüyüş esnasında karar verdik. Kuzguncuk sahilinde balıkçılara bakarken, 1982 Dünya Kupası'ndaki İtalya, Sovyetler Birliği ve Brezilya kadrolarını hâlâ yedekleriyle beraber sayabildiğimizi görünce moralimiz bozulmuştu çünkü.

"Ah..." dedik. "Keşke şunları silip yerlerine daha gerekli bilgiler koyabilsek!"

Günümüz insanı kendi beynini de bilgisayar gibi bir şey zannettiği için, kuşkulanıyor tabiî. Hafızamızın bugünkü zaaflarında o gereksiz bilgilerin parmağı var sanıyoruz.

Sanki Belenov'un yirmi iki yıl önceki Sovyet millî takımını nasıl coşturduğunu bir unutsak, sevdiklerimizin doğum günlerini daha rahat hatırlayacağız.

Ali-Ayşegül Atik çiftinin "bir alışveriş bir fiş" skecini, Ewing ailesinin üyelerini, Balkan Kupası'nı kazanan millî basketçilerin ilk beşini, Commodore-64'ün en büyük rakibi ZX Spectrum'u, Enid Blyton ve Kemalettin Tuğcu kitaplarını, babamın küçüklüğümdeki otomobilinin plakasının 26 DR 023 olduğunu, Almanlar yenildiği için bizim de yenilmiş sayıldığımızı...

Bunları silebilsem, açılacak boşluğa daha yararlı bilgiler koyabileceğim sanki.

Üstelik bazı anılar bu kadar masum da değil.

Onlar, unutulmayı yer işgali sebebiyle hak etmiyor sadece. Can yaktıkları, ruhumuzun ahengini bozdukları için de unutmak istiyoruz.

Hani sarhoşa sormuşlar "Niye içiyorsun?" diye. "Unutmak için!" demiş. Bu sefer, "Neyi unutmak için?" diye sormuşlar; bir hayli düşünmüş sarhoşçağız, ama bir türlü hatırlayamamış.

Aslında kötü hatıralar olmasa, bu "unutamama" işinin zevkli tarafları da var. Onlar daha çok yazarken ortaya çıkıyor. Yazarken hafızanın kuytuda kalmış düğmelerine dokunuyoruz.

Biz yazarken bir çocukluk şarkısı, bayramlaşmaya gittiğimiz akraba evindeki bir koku, komşu teyzenin bizi bizden alan kalçaları falan saklandıkları yerden çıkıveriyor. Onları bazen bir roman kahramanına dönüştürüyoruz, bazen de dokunaklı bir sahnenin dekoruna ekliyoruz. Öyle ya da böyle, yazı sayesinde unutuluşa karşı savaşıyorlar.

Züğürt tesellisi mi bilmiyorum ama, insan ruhuna biraz da hatırladığı o gereksiz şeyler derinlik katıyor galiba.

Yoksa unutma yeteneğine sahip insanlar da tanıdım. Zamanında kalbinizi yerle bir eden kendi sözlerini hatırlamıyorlardı mesela. Ne verdikleri sözler kalıyordu akıllarında, ne beraber aldığınız kararlar, ne de paylaştığınız eski bir heyecan.

Allah için, kıskandığım insanlar oldular hep. Çünkü, eski bir şarkı da yoktu akıllarında, yirmi yıl önceki bir defans oyuncusu da yoktu. Hafızaları yeni doğmuş bir bebeğinki gibi temizdi.

Anıların ve unutuşun ötesinde, takılıyorlardı işte.

İnsanlar Dörde Ayrılır

John, Paul, George ve Ringo.

Ebeveyni 68 Kuşağı'ndan olan birçok çocuk gibi, ben de The Beatles şarkılarına maruz kalarak büyüdüm.

Bildim bileli etrafımda onların plakları çalınır. Bir gün bile düşünmedim "Bana ne kardeşim İngiliz'in müziğinden" diye.

Lisede iki sınıf küçüğüm olan kıza kur yapıp ret mi edildim? Takarım hemen walkman'imi kulağıma, koyarım yakışıklı bir Beatles kaseti, sigaramdan bir nefes çekip açılırım yatakhane penceresinden ışıl ışıl görünen Haliç manzarasına.

Zamanla, çoğu Beatles şarkısının bende anısı oldu. Sonra da sırf o anıları hatırlamak için tekrar tekrar dinledim durdum. Hayatımın film müziğini hep onlar çaldı yani.

Herhalde bu yüzden, hayata dair teorilerimden birini de onlardan yola çıkarak kurmuşum, ergenlik yıllarımda.

Bu muhteşem teoriye göre, insanlar dörde ayrılıyor.

John'lar, Paul'ler, George'lar ve Ringo'lar.

1- John'lar

En klasik anlamıyla lider ruhlu insanlar. Sayıları giderek azalıyor. Nerede fırlama, kafası aykırı bir adam görsem aklıma hemen John Lennon gelir.

Yaşlılar onlara "dalgacı kerata" der. Yaşıtları onları bazen çok sever, bazen de yanlarında mahcup olurlar. Bunların sağı solu belli olmaz çünkü. Olmadık yerde olmadık bir laf edebilirler. Ofislerden ceketini alıp gidenler, okullarda öğretmenlerle takışanlar genellikle John'lardır.

Yeteneklidirler. Yetenekleri volkan gibi kaynayarak patlayacak yer arar. Bu yüzden, en sıkı kaybedenler de hep bu gruptan çıkar. O kadar hesapsız, o kadar şeffaftırlar ki, kaybeden olmayı da göze almış görünürler. Belki de dünyamız kıymeti bilinmemiş John'larla doludur. O volkan gibi kaynayan yetenekleri fışkıracak yer bulamamıştır çünkü. O zaman da içten içe yanar, yavaş yavaş erirler.

Riskli bir iştir John olmak. Çünkü kanatları o kadar büyüktür ki, ayaklarına dolanır bazen. Yürümelerini engeller.

Meşhur "Imagine" onların millî marşıdır.

2- Paul'ler

Başarı için yaratılmış tiplerdir. Hem yetenekli hem de hesapçıdırlar. Aynı anda hem yaratıcı hem de satranç oyuncusu olabilirler.

Bu özellikleri sayesinde sırtları yere gelmez. Hırsla çalışıp herkesten çok kazananlar, iki güzel sözle bizi ikna edenler, şeytan tüyü sahipleri, en çalışkan kızı tavlayıp dönem ödevlerini ona yaptıranlar tabiî ki Paul kategorisine girer.

Bazen onlara kızarsınız. Yine de seversiniz ama. Zaten dünya tarihine adını yazdıranların çoğunda az ya da çok Paul'lük vardır. Hatta "adlarını tarihe yazdırma" konusunda uzmanlaşmış bile sayılırlar.

Allah'ın şanslı kullarıdır onlar. Millî marşları, o muhteşem "Hey Jude" şarkısıdır.

3- George'lar

Şu dünyada kıymeti yeterince bilinmemiş ne kadar yetenek varsa hepsini George başlığı altında toplayabiliriz.

Nedense hep bir şeylerin gölgesinde kalırlar. Bazen en küçük kardeş olur onlar, fikirleri sorulmaz. Bazen okul takımının sessiz ve istikrarlı oyuncusudurlar. Bazen de sevilen, ama az uğranan bir komşu kılığına girerler.

Üstelik bunu kendileri istemiştir. İçe dönük, gösteriyi sevmeyen ama işini iyi yapan insanlardır. Bir George'la tanıştığınız an ona hayatınız boyunca güvenebileceğinizi hissedersiniz.

Varlıkları fazla hissedilmez George'ların. Ama yoklukları hemen hissedilir. Onların da millî marşı, "Something" adlı güzelliktir.

4- Ringo'lar

Kendileriyle barışık insanlar. Her ortama uyum sağlayan, sohbetiyle etrafı eğlendiren, enerji dolu arkadaşlarımız...

Dışarıdan bakınca bir trajedileri ya da bir derinlikleri yokmuş gibi görünür. Belki de gerçekten yoktur, asla bilemezsiniz. Onlar öyle güzeldir ama. Onları biz öyle severiz. Bu Ringo milletinde her durumu tamamlayan, her güzelliğin üstüne kuş konduran esrarengiz bir şey vardır. Kendi başlarına bir şey ifade etmeseler de topluluk içinde sağlam bir yerleri olur.

O neşeli "I Wanna Be Your Man" de onların millî marşıdır işte.

Dediğim gibi, bu bir ergenlik teorisi.

Ergenlikte insanları üçe beşe ayırmaya pek meraklı oluyoruz. Oysa hepimizin içinde dördünden de parçalar var galiba. Tabiî oranlar kişiden kişiye değişiyor. Bazımızda John ile Ringo yan yana yaşıyor mesela, bazımızda George ile Paul...

Belki de bu yüzden herkes The Beatles'ın şarkılarında kendinden bir şeyler bulabiliyor hâlâ. Şarkıları bugün bile Amerika'dan Türkiye'ye, Hindistan'dan Japonya'ya, gezegenin her yerinde yeniden yorumlanıyor.

Demek ki her yerde John'lar, Paul'ler, George'lar ve Ringo'lar var. Adları farklı da olsa.

Sıkılmayan Bir Adam

Babamın canı hayatı boyunca hiç sıkılmadı.

"Canım sıkılıyor" diyenlere de her zaman hayretle baktı.

Kendisi bir metrekarelik çimende bile oyalanacak şeyler bulabiliyordu çünkü.

Karıncalara bakıyordu herhalde, onların yürüyüşüne bakıyordu. Çimenlerin sarı köklerini, ağaçların iyi havalarda reçinesini sızdıran kabuklarını inceliyordu.

Tabiî bu yüzden biraz dalgın dururdu hep. Aslında dalgın değildi (ne de olsa bir mühendisti ve o kadar hesap kitap dalgınlığa gelmez pek). Sadece başkalarından farklı bir dikkati vardı.

Bizim bakıp geçtiğimiz ayrıntılar onun için yeni düşüncelerin başlangıcı olabiliyordu. O düşüncelerinin bazılarını paylaştı etrafındakilerle, bazılarını da beraberinde götürdü.

Peki duygulu bir adam mıydı?

Onu tanıyanlar bu konuda hemfikir. İtiraf edeyim, ben her zaman emin olamadım. Haliyle, bundan sonra olmayı da pek hayal etmiyorum. Ama hani bazı insanlar vardır; herkes telaş içinde oradan oraya koştururken küçük bir şeyi fark edip ona zaman ayırabilirler. Biz onlara "hassas" deriz. "İncelikli" deriz. Hatta feci bir kelime olmasına rağmen "duyarlı" bile deriz. Sanırım o da bu tarife uyuyordu.

Babamın canı sıkılmazdı. Canı sıkılanlara da biraz sinirlenirdi. Kafası az buçuk çalışan bir insanın can sıkıntısı çekmeyeceğine dair mütevazı ve öfkeli bir teorisi vardı.

Bunu zamanında o kadar çok dinlemişim ki, hâlâ ne zaman canı sıkılan birini görsem gidip saçını çekesim gelir.

Bildiğim kadarıyla canı çabuk sıkılanlar, kendilerine "hiperaktif"diyor. Yüksek zekâ düzeyinin yol açtığı konsantrasyon sorunlarından yakınıyorlar. Bir olaya uzun süre yoğunlaşamadıklarından, çabuk daraldıklarından bahsediyorlar. İşin ayrıntıları hakkında fazla bir bilgim yok. Bu yüzden hepsine tüm kalbimle inanıyorum.

Üstelik benim de bazen canım sıkılıyor tabiî. Vapurda yanımda okuyacak bir şey yoksa, karşımdaki beyefendi yirmi dakikadır non-stop kendisinden bahsediyorsa, Galatasaray'ın bazı maçlarında...

O zaman kendime kızıyorum hemen. Sonra da aklıma böyle saçmalıklar soktuğu için babama kızıyorum.

Erkek çocuklarının iş işten geçtikten sonra kafalarında babalarıyla itişmesi hep biraz hüzünlü oluyor.

Biz de her baba-oğul gibi, Ömer Hayyam'ın tatlı ifadesiyle "Durmadan kurulup dağılan şu âlemde" biri ötekinden fışkırmış iki toz zerresiydik.

Otuz yıl boyunca beraber geçirdiğimiz zamanın, ettiğimiz kavgaların, attığımız kahkahaların evren okyanusunda fazla bir önemi yoktu.

Ama hafıza sadık bir köpek işte: geçmişte canımızı yakan ne varsa toprağa gömüyor. Dişlerinin arasında güzel anılarla çıkıyor sonra da karşımıza. Hafızamın ben istemeden çektiği yüzlerce fotoğraf, ahşap çerçeveleri içinde tek tek büyüyor. Tabiî yaş ilerledikçe beynimizin teknolojisi de geliştiğinden, öncekiler puslu ve belirsiz, sona doğru netleşip renkleniyor görüntü.

Yine de oğullar babalarının anısına uzanmak istediğinde, parmak uçlarından kaçan pis bir boşluk kalıyor hep.

Nedense?

Sanırım asıl komik olan şu: oğullar babalarını hiçbir zaman yüzde yüz tanıyamıyor. Babanın bizim için hayat bilgisi kitabındaki lacivert kravatlı adam olmaktan çıkıp normal insan haline gelmesi bile onlarca yıl alıyor. O zaman da elimizi çabuk tutmamız lazım; çünkü hayatın fener alayı bizi de çağırdığında, onunla helalleşmeye fazla bir zamanımız kalmayacak.

Bu basit gerçekleri bilmek bir işe yarasa ne güzel olurdu.

Birden her şeyin farkına varıp babayla aramızdaki esrarlı boşluğu doldurmayı başarsak...

O zaman aynı konuda buradakinden çok daha iyi yazılar okumuş olan bendeniz, babasını düşündüğünde o boşluk duygusuyla ürpermezdi belki. Onun bir yüzünün hep karanlıkta kaldığını fark etmez, hatırladığı bazı taraflarını gereğinden fazla esrarengiz bulmazdı.

Bunu engelleyecek güzel bir söz ya da ince bir dize elbet gelirdi aklına.

Yine de dünyanın ne muhteşem bir yer olduğunu ben galiba babamdan öğrendim. Akşamüstü şehirdeki vitrinlere yansıyan ışığın büyüsüne, saçlarını toplamış bir genç kızın ensesinde uçuşan tüylere, güvercinlerin yürürken yaptığı şaklabanlıklara ya da yağmurun pencerede çizdiklerine bakarak iç dünyamı harekete geçirmeyi, yani sıkılmamayı böyle böyle keşfettim.

O da bazen elimden tutarak, bazen de kilometrelerce uzaktan beceriksiz oğlunun yürümeyi öğrenmesini izledi.

Küçük, kendisine pek yakışan bir gülücük vardı dudağında. Yaşadığı güçlükleri bununla örtüyordu.

Babam böyle bir insandı işte.

İnşallah sıkıcı bir yazı olmamıştır.

Gecenin Yaralı Kuşları

Yaklaşmaya korkan insanlar vardır. Yaklaştıkları zaman ruhlarının görüleceğinden korkarlar.

Her zaman mesafelidir onlar. Bayrak törenlerindeki çocuklar gibi, dirsek mesafesinde dururlar hep. Çocuklarına karşı da öyledirler, eşlerine dostlarına karşı da. Alçıdan yontulmuş bir büst gibi çıkarlar karşınıza. İçlerine sızmak, aslında ne düşünüp hissettiklerini anlamak çoğu zaman mümkün değildir.

Onlar, mesafelere inanırlar. Mesafelerin koruyucu gücüne.

Böyle insanlara bakarken, sizi yaklaşmaktan alıkoyan görünmez bir duvarla çevrili olduklarını anlarsınız. Bu duvarı ören geçmişte yaşadıklarıdır aslında. Hepimiz gibi onlar da kırılmış, örselenmiş, yenilmişlerdir.

Tanıdığınızı sanırsınız onları. Oysa ilk fırsatta bir yabancıya dönüşüverirler.

Anladığınızı sanırsınız. Oysa labirentleri ilk fırsatta sizi de çekiverir bağrına.

Sevdiğinizi sanırsınız. Oysa günün birinde anlarsınız ki sevecek kadar tanımamışsınızdır aslında.

Tanımanıza izin vermemişlerdir.

İşin kötüsü, hayatınızı paylaştığınız insanlardır kimi zaman. Babanız, oğlunuz, sevgilinizdirler. Ördükleri duvarı aşacağınızı umarak onlarla yaşamayı sürdürürsünüz.

Yaralı kuşlardır onlar. Yaralarını kimseye göstermek istemezler. En sert patronlar, en katı siyasetçiler, astığı astık babalar, kaleminden kan damlayan köşe yazarları hep onların arasından çıkar. Zordur yaralı bir kuşla birlikte yaşamak. Sabır ve dayanma gücü ister.

Bazı geceler kapınızda bir tıkırtı duyarsınız. Açtığınızda kanatları seğiren bir kuşun eşikte titrediğini görürsünüz. Nice avlardan kaçıp gelmiş bir can taşımaktadır. Gözlerinde öfke ve kibir, ruhunda anlaşılma isteği vardır. İster ki herkes gereken sabra sahip olsun, bekleyip anlasın onu.

O anlaşılma anı gelene kadar hayata aynı hırçınlıkla asılacak, yüzünüze aynı delici bakışları fırlatacaklardır. Okşamak isteyen parmağınızı gagalayan da onlardır, pençeleriyle teninizi yırtmaya hazır bekleyenler de.

Gecedir çünkü. Gecenin yaralı kuşlarıyla tanışmak için hazır olmak gerekir.

Kabahat bazen bizdedir de; mesafeleri aşmaya hazır değilizdir. Onları anlayacak sabra, dayanacak güce sahip olmadığımız anlarda çıkarlar karşımıza.

Yaralı kuşlara dikkatle bakmak, onların kanatlarını acıtan şeyi keşfetmek, sonra da iyileştirmek çok geniş bir hayat bilgisi gerektirir. Hayatsa bilgisini genellikle esirger bizden. Bu arada olan yaralı kanatlarıyla çırpınan o kuşçağızlara olur.

Baudelaire'in deyişiyle, bazılarının kanatları o kadar büyüktür ki, ayaklarına dolaşıp yürümelerine engel olur.

Ama yaratıcıdır onlar. Kimsenin aklına gelmeyen şeyleri düşünen, olmayacak fikirleri bulan, ilk bakışta çılgınlık gibi gözüken icatlara girişenler her zaman onlardır.

Kanatlarında geçmişlerinden izler taşırlar. Dikkatli bakarsak küçük yaşta kaybedilen bir babayı, geri gelmeyen bir sevgiliyi, doğurduğuna pişman bir anneyi görebiliriz renkli tüyleri kaplayan desenlerin arasından.

Yaralı kuşları çekip çeviren suçluluktur. Çılgın bir suçluluk duygusu onları hiçbir zaman terk etmez. Teninizi kanattıktan sonra baktıklarında da suçluluk duyar ve daha beter düşman olurlar size; suçluluk duymalarına neden olduğunuz için.

O yaralı kanatlarla mesafeler aşmışlardır. Acıların, travmaların, hayal kırıklıklarının arasından geçe geçe bugüne gelmiş, eşiğinize konmuşlardır. Sizin o mesafeleri gerisin geri aşıp ruhlarına dokunmanızı istemezler yine de. Bunda hem şaşkın bir kibir hem de bir kez daha yaralanmaktan korkan bir kuşun çocukluğu vardır.

Yavruyken çektirdikleri resimlere bakıp ağlamayı unutmuş kuşlardır hepsi de. Bunu onların yerine sizin yapmanız gerekir. Hırçın ve yaralı bir kuşun çocukluğuna bir bakın: orada anlaşılmaya muhtaç, el kadar bir varlık göreceksiniz.

İçini size açamadan yaşlanmış babalarınıza bakın. Herkese hayatı zindan eden huysuz arkadaşlarınıza bakın. Yalnızlığının içinde debelenen sert bakışlı kardeşlerinize bakın...

Gecenin kalbinden kopup gelmiş yaralı bir kuşla göz göze geleceksiniz.

Hepsinin kanatlarına bakın sonra. O dokundurmadıkları yarada kanayan mevsimler, hayal kırıklıkları, olabilecekken olmamış şeyler, felaketler göreceksiniz.

Dikenlerini içlerine çekip yakınlaşan kirpiler gibi sarılmak gerek belki de onlara. Küçük bir dokunuşun yokluğu yüzünden diktatöre dönüşen az mı insanoğlu, insankızı var? Yoksa tenleri gece gündüz eski bir hatıranın anısıyla yanan o yaralı kuşlarda hayatımızın en hüzünlü anlamlarından biri mi gizli?

Yoksa bizler de birer yaralı kuş muyuz? Yaralarımızı birbirimize göstermek için güneşin batmasını mı bekliyoruz? Gün boyu sakladığımız kırık kanatlar açılmak için ay ışığını mı kolluyor?

Öncel Hoca Öldü

Tabiî ki bu haber Türkiye'yi sarsmadı. Resmî makamlar harala güröle taziye mesajları göndermedi.

Bayraklar yarıya inmedi, gazetelere kocaman ilanlar verilmedi.

Öncel Hoca yağmurlu ve solgun bir cumartesi günü Yenişehir'de toprağa verilirken yanında öğrencilerinden ve akrabalarından oluşan, hallice bir kalabalık vardı.

Kendisi öyle istemişti. Öyle de oldu.

Pek çok bakımdan "Mahmut Hoca" konseptine yakın bir adamdı. Son günlerini yaşadığı Bursa'daki küçük hastane odasını dolduran öğrencilerine, vücudunu saran hastalığın iyice kıstığı sesiyle şu lafları edebilmişti mesela: "Siz pırıl pırıl beyinlerdiniz. Sizi iyi yetiştiremedik. Çocuklar, hepinizden özür dilerim".

O an odada öğretim üyesi, müzisyeni, kreatif direktörü, televizyon spor müdürü, gazetecisi ve edebiyatçısıyla, durmadan burnunu çeken küçük bir grup bulunuyordu. Yatakta yatan adamın hepsinin üstünde emeği vardı.

Çalıştığım ajanslardan birinde, bir stajyer çocuk tanıdım. Yirmisine yeni varmış, kapı gibi, şirketteki kadınların nefesini daha o yaşta kesen yakışıklı bir oğlan.

Boş zamanlarda stajyerlere bol bol akıl verip onları baymak âdettendir. Bir gün çocuğu çay ocağının dibinde kıstırmış hayatla ilgili atıp tutuyorum. Dayanamayıp "Abi" diyor. "Eğer otuzuma vardığımda hâlâ bu memlekette olacaksam, bu işi hiç yapmayayım daha iyi."

Ben de dayanamayıp mahalle usulü bir "yuh!" çekiyorum ona. Çünkü paşanın iş hayatındaki henüz üçüncü günü ve Kanada'ya göçüp baca temizleyicisi olmayı şimdiden daha cazip buluyor.

Galiba kuşaklar değiştikçe bu meseleye bakış da değişiyor.

Bizden öncekiler, başka türlü bir Türkiye'nin mümkün olduğuna inanarak yetişmişti. Bunun için uğraşmış, bedel ödemiş, birbirleriyle itişip kakışmışlardı. Bizse her konuda olduğu gibi, bu konuda da "arada kalan" kuşaktık. İsveç'e gidip Türk Lokantası açmayı hayal edenler ile Türkiye'de kalıp bir şeyleri düzeltmek isteyenler şeklinde ikiye ayrılıp bitmeyen tartışmalara girerdik. Sonra da laf üretmekten yorgun düşüp pek bir icraatta bulunamazdık.

Sıradaki kuşak olayı kökünden çözmüş görünüyor; yani tabiî ki bu memlekette yaşanmaz. Tabiî ki ilk fırsatta kapak "dışarıya" atılacak. Tabiî ki öyle süper bir iş bulunmasa da olur. İletişimcilerimiz baca temizleyicisi, mühendislerimiz köpek bakıcısı, avukatlarımız Noel Baba olabilir tabiî ki.

Yeter ki gidilsin. Gidilsin ve dönülmesin.

Laf aramızda, Kavafis'in "Şehir" şiirine olan düşkünlüğüm eşi dostu bazen şaşırtır. Bilhassa Cevat Çapan çevirisi pek leziz olan bu güzide eser, bizim kuşağımıza gayet damardan seslenir oysa. "Yeni bir ülke bulamazsın, yeni bir şehir bulamazsın" diye girip olayı "Nasıl yaşadıysan ömrünü burada, öyle yaşayacaksın demektir bütün yeryüzünde" şeklinde bağlayan dizelerinde duymasını bilen gönüllere güzel şeyler fısıldar şair.

Yunan diyarının dışarıya bol bol göç verdiği, ekonomik bakımdan tıfıl bir döneminde yazılmış olduğu için de, günümüz Türkiyesi'ni epey bir hatırlatır.

Vatandaşlık hakkı için şişman İngiliz kızlarıyla evlenmeyi hayal eden arkadaşlara her fırsatta bu şiiri hatırlatmaktan şahsen sapıkça bir zevk duyuyorum.

Onlara kızıyor muyum peki? Kesinlikle hayır. Şişman İngiliz kızları da icabında tatlı olabilir tabiî. Sonra genelleme yapmak bana hep riskli gelir. Kız kardeşimin Bali Adaları'nda yaşayıp rahatı yerinde olan bir arkadaşı var mesela. Arada bir oradan komik kartlar yolluyor.

İnsan huzuru bulduktan sonra el ne karışır.

Ama eskiden galiba başka bir Türkiye vardı. İnsanların mutlu mutlu yaşlanmak istedikleri, Öncel Hoca'ların yollarını kesen gericilere, onları sürgüne yollayan kazma bürokratlara rağmen direndikleri, didindikleri, son günlerinde özür dileyecekleri öğrencilerinin kahrından günde üç paket Maltepe'yi götürdükleri, aslında o kadar da uzak olmayan bir Türkiye.

Şimdi nerede o?

"CHP'yi bıraktım, Maltepe'yi de bıraktım. Bi de şu Beşiktaş'ı bırakırsam bana ölüm yok..." derdi, Mektebi Sultani'nin Türkçe hocası Öncel Tunçay. Neyse ki son günlerinde Sergen'in İngilizlere salladığı iki golü seyretme zevkini de yaşadı.

Belki Beşiktaş'ı bırakamadı, ama arkasında onu her hatırladığında gözleri dolacak bir dolu öğrenci bıraktı.

Öğrencilerinin ona taktığı lakap "Angel"dı.

Efendiler, Galatasaray gibi yerde bu mühim bir şeydir.

İçindekiler